もっと あなたの会社が90日で儲かる!

感情マーケティングでお客をトリコにする

Emotional Marketting Part II

実践マーケッター
神田昌典

フォレスト出版

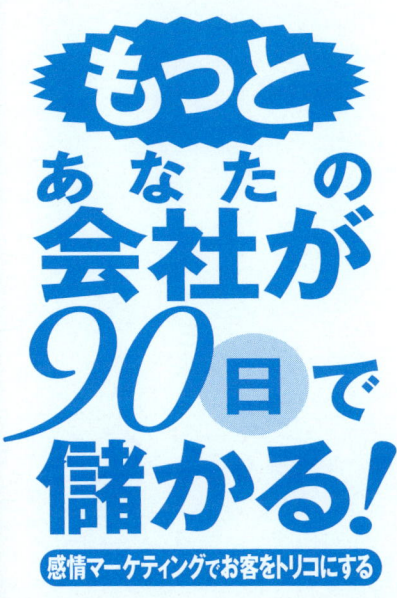

神田昌典　●実践マーケッター

上智大学外国語学部卒。

在学三年次に、外交官試験合格。四年次より、外務省経済局勤務。

その後、ニューヨーク大学・経済学修士および
ペンシルバニア大学ウォートンスクール・経営学修士（ＭＢＡ）取得。

コンサルティング会社勤務を経て、九三年米国ワールプール社勤務。

九五年同社日本代表に就任。**人なし、予算なし、商品なし**の状況から、二年で**年商八億円**の規模に育てる。

九八年、株式会社アルマックを設立。コンサルティング業務を行うとともに、
顧客獲得実践会を主宰。顧客獲得実践会は、発足後一年で、全国**八〇〇社**を超える中小企業が参加。

現在、ダイレクト・レスポンス・マーケティングを実践する組織としては、**日本で最大規模。**

自らの方法論を実践し、結果を出すことが信条。その結果、サラリーマン独立後一年で、年商一億円を達成。

しかも社員は、本人と派遣社員**一名のみ。**

前作『あなたの会社が90日で儲かる！』の熱狂に応え、
あの男が帰って来た！

はじめに

ぞーっ。背筋が寒くなった。

昨年一一月のことである。大阪の不動産会社から一通のファクスをもらった。**「建売住宅三棟、即日完売しました。それも二四〇通のＤＭ（ダイレクトメール）を送っただけです」**

二四〇通のＤＭを送ったところ、見学会に、当日五〇組が来場。最終的に、どうしても五組が買いたいと表明。しかし販売できる住宅は三棟のみ。そこで、最後は、**ジャンケンポンの奪い合い状態**になったとのこと。

二四〇通のＤＭ。それにかかった費用は、約三万円。

三万円の投資で、住宅三棟。一億六五〇〇万円の売り上げを、一日で上げた。

どうして、こんな非常識な結果が起こったのか？

この住宅価格は、五五〇〇万円。その地区の平均物件価格が三五〇〇万円だから、かなり高い。しかも、その社長の話によれば、決してロケーションがいいわけではない。

にもかかわらず、即日完売。

実は、この物件を販売する前に、営業マンから泣きが入ったらしい。

「社長、いくらなんでも、こんな高い物件を販売するのに、ＤＭ二四〇通だけじゃ不安です。とても売れる自信がありません。チラシを配ってください！」

結局、社長が押し切られ、四〇万部のチラシを折り込んだ。

その結果、何組が来場したのだろうか？

三組である。たった三組!?

二四〇通のDMで五〇組。かたや四〇万部のチラシで三組。

なぜこんな違いが生じてしまったのか?

この違いが生じるシステムを、あなたの会社で実践してもらうこと。

ズバリ、これが本書の目的である。

前作『あなたの会社が90日で儲かる!』では、お客の感情を味方にして、広告宣伝への反応をアップする方法について説明した。お客に売り込みにいくのではなく、逆に、お客から「あなたの会社に興味がありますよ」と手を挙げていただく方法だ。この方法によって、飛躍的に営業効率をアップできることがお分かりになっていただけたと思う。

今回は、集めた**お客をあなたのトリコ**にする。お客をファンに育てる仕組みについて、新しい視点を提供する。この仕組みの重要な一部が、「二一日間顧客感動プログラム™」および「生涯顧客教育カリキュラム™」である。

「うちの業界に、当てはまるのかな」

すべての業界に当てはまるといったら、信じてもらえないかもしれない。でも、この仕組みのベースになる「感情マーケティング」は、政治家から風俗店まで、ありとあらゆる業界が実践している。感情マーケティングとは、お客さんの感情を、あなたの味方につける方法だ。

業界の特殊性に焦点を当てるのではなく、人間の感情に焦点を当てている。だから、あなたのお客さんが〝人間〟でさえあるならば、十分、活用できるはずだ。

「どうせ実践できない、面倒くさいことなんじゃないか?」

いや、難しいことは一切ない。聞けばだれでも納得、直感的に理解できるブログラムである。

そもそも私としては、こんな単純なことを、いままで言い出す人がいなかったこと自体が、驚きなのである。

さて、話を大阪に戻そう。

住宅三棟を即日完売したという事実を、周囲の同業者はどう見ているのか?

「景気が戻ってきたんだな」

「チラシを四〇万部配ったのが、良かったんだろうな」


かわいそうに……。

この同業者の売れる仕組みは、外からは見えない。だから、同業者には理解されない。理解できないものを、人は笑ってゴマかす。「なんてバカなことをやっているんだろう」と。

同業者には、笑われるかもしれない。
でも肝心なのは、最後に笑うのがだれかである。

☞（最後に笑いたい人は、どうぞ次のページへお進みください）

目次

はじめに……2

第1章
同業者には笑われた。
でも私の本が売れ始めたとたん・・・

捨て身になれば、ホームラン……16

まぐれ当たりか、それとも本物か？……19
ビジネスは、快感……24
失敗はない。あくまでも、ひとつのデータ……30
ひとつの行動は、百回の瞑想に勝る……33
コネも人脈もないから、行動できる……35

第2章 お客さんの感情を味方につける方法

なぜ、ビジネスは難しいと思われているのか？……44
感情マーケティングを実践するための、五大ポイント……48
ポイント1……48
三種類のお客とそれぞれを獲得するツール……51
ポイント2……55
ポイント3……61
ポイント4……67

ポイント5……75

第3章 正直者が陥るビジネス常識四つの罠

なぜ私は敵をつくるのか？……84
正直者が陥るビジネス常識の罠　その①
「口コミで、凄く売れているんです」……87
口コミで売れる商品、売れない商品……90
正直者が陥るビジネス常識の罠　その②
「そこが、うちのノウハウなんですよ」……93
正直者が陥るビジネス常識の罠　その③
「これから有望な資格です」……98
正直者が陥るビジネス常識の罠　その④
「上場を視野にいれています」……102
お金がないから、工夫ができる……104
顧客管理の知識をもてば、夜も安心して眠りにつける。……108

第4章 エモーショナル・マーケティング実践編

誰もが必ず犯す五つの間違い～だから お客が集まらない……118
よくある間違い その①
いきなり人生を語ってしまう……112
よくある間違い その②
教科書的で、分かりにくい……127
よくある間違い その③
小手先だけを真似する……130
よくある間違い その④
設計図が、お客の感情とずれている……135
よくある間違い その⑤
反応率で成否を即断してしまう……140
あなたと取引をしなけりゃバカ、といわれる方法……143

第5章 感情マーケティングで、お客をトリコにする

なぜ言葉の選択で、反応が変わるのか？……148
お客の感情をベースに、ビジネスを再構築する……150
お客をトリコにするには、顧客満足だけじゃ不十分……153
顧客流出の現状……156
ポイントカードの限界……158
それじゃ一体、顧客ロイヤルティとは？……160
あなたに思いを寄せる時間を延ばす方法……165
実際にやってみると、どんな効果が出るか……170
経済対価の追求から、お客との人間関係の重視へ……174
二一日目からは、何をすればいいのか？……176
安いパソコンさえあれば、実践できる……178
顧客教育カリキュラムを組んで、会社のトリコにする方法……180

狩猟型のマーケティングから、お客を育てるマーケティングへ……190
おわりに……194
本書のノウハウによって業績を上げた三三四社……200

装幀　川島進（スタジオ・ギブ）
図表作成　川野郁代

第1章

同業者には笑われた。でも私の本が売れ始めたとたん・・・

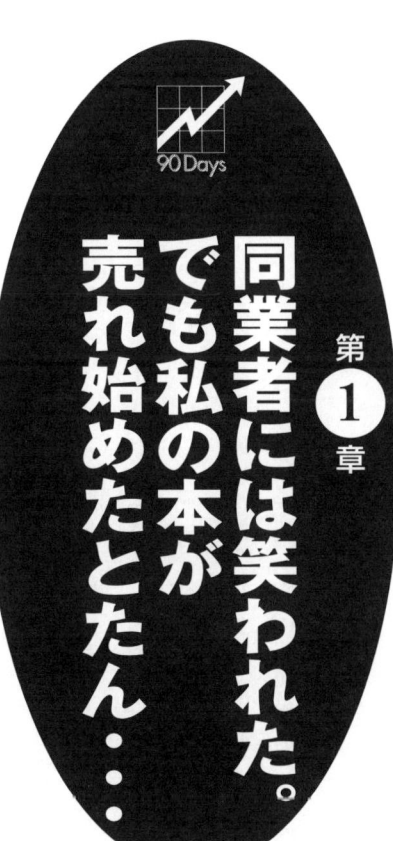

◎捨て身になれば、ホームラン

前著を出したとき。私は、同業者から笑われた。

ビジネス書で、ショッキングピンクの表紙。

しかも、『あなたの会社が90日で儲かる！』というタイトル。なんともイカガワシイ。

ある書店では、ビジネス書の棚には置かれなかった。芸能人の告白ものが隣に並んでいた。また「エロ本」と勘違いされたのか、『風俗男一代記』という本のとなりに並べる書店もあった。


ビジネス書の表紙は、白というのが定番だ。

出版社にとって、ショッキングピンクのビジネス書っていうのは、初めての試み。

私にとっても出版社にとっても、賭けだった。

しかし売れた。初版一万部は、六日で在庫がなくなった。発刊六カ月で、五万部が売れた。

「三〇〇〇部も出れば上出来」といわれるマーケティング関連書としては、異例の売れ行き。

ショッキングピンクのビジネス書……失敗していたら、お笑い草である。

でも、私は無名の著者だ。**「かっこつけたって、しょうがないじゃない？」**

腹をくくって、感情マーケティングを実践した。そう、私自身の本を売るために、本で書かれているメソッドを応用したわけだ。

その結果、売れた。無名でも、売れた。

このように、感情マーケティングというのは、**無名でも、ホームランを飛ばす方法である。**

ブランドがない。会社が小さい。人脈がない。

しかも経験がない。金がない……。

ビジネスでのハンディキャップ。こういう不利な条件を抱えている会社でも成功できる道具。これが感情マーケティングだ。

感情マーケティングを、一言で説明すると、お客の感情（エモーション）を、あなたの味方につけるということだ。

お客がものを買うっていうことは、理屈じゃない。お客は感情でものを買う。

感情が動かされない限り、お客は財布を開かない。契約書に判を押さない。

お客は感情で購買を決定し、そして理屈で正当化する。

だからこそ、お客の感情を味方につけることができれば、無名でも、本が売れる。

◎まぐれ当たりか、それとも本物か？

「あなたの本がヒットしたのは、まぐれ当たりじゃないの？」

ところが、まぐれじゃないのだ。次ページのファクスを読んでほしい。

この会社、株式会社メイプルホームズ高松では、私が、前作を使って書店でやったことを、展示会のブースで応用した。「オルトふうとー」という商品のライセンス契約を募集している。どういう商品かというと、ノリやハサミを使わないでも、チラシを折り曲げれば封筒を作ることができるというものだ。

この特許取得の封筒を、ベンチャー企業の展示会に出展した。

神田先生

神田先生　私は、大変なことになってしまった。
これも先日の相談電話のおかげでこんなことになってしまったんです。

覚えてますか？　有楽町の国際フォーラムに出展するのでアィディアを出して欲しい相談電話を。
そのとき　決まったのは、左に爆弾マークで”特許”右に無料
そして大きく『奇跡の封筒』使ってみませんか？　でしたね。
これ実行しました。バックは、ピンク本のピンクでね。

そしたらー。反応したんです。ばっかみたいに。

3人でいくらしゃべっても『あのー　奇跡の封筒って何ですか？』

もうしゃべりましたよ。同じトーク何百回もその結果が、
120契約申込み（無償だが）とれました！！！！

神田先生　あんたは、すっごい人だ。

私は、人が反応するパワーに圧倒されまたエキサイトした。

これが、神田流ゲリラマーケィングだと。

ついでにお守りにおいてあったピンク本にも反応した人がいて(この本うれてんダヨーネ。とか今読んでいますとか。神田さんの顔どっかにのってますかとか（小さく載ってますよね。))

というわけで　100人以上の処理に大忙し！！で大変なことになった。
本当に感謝！

◆ショッキングピンクの壁の色

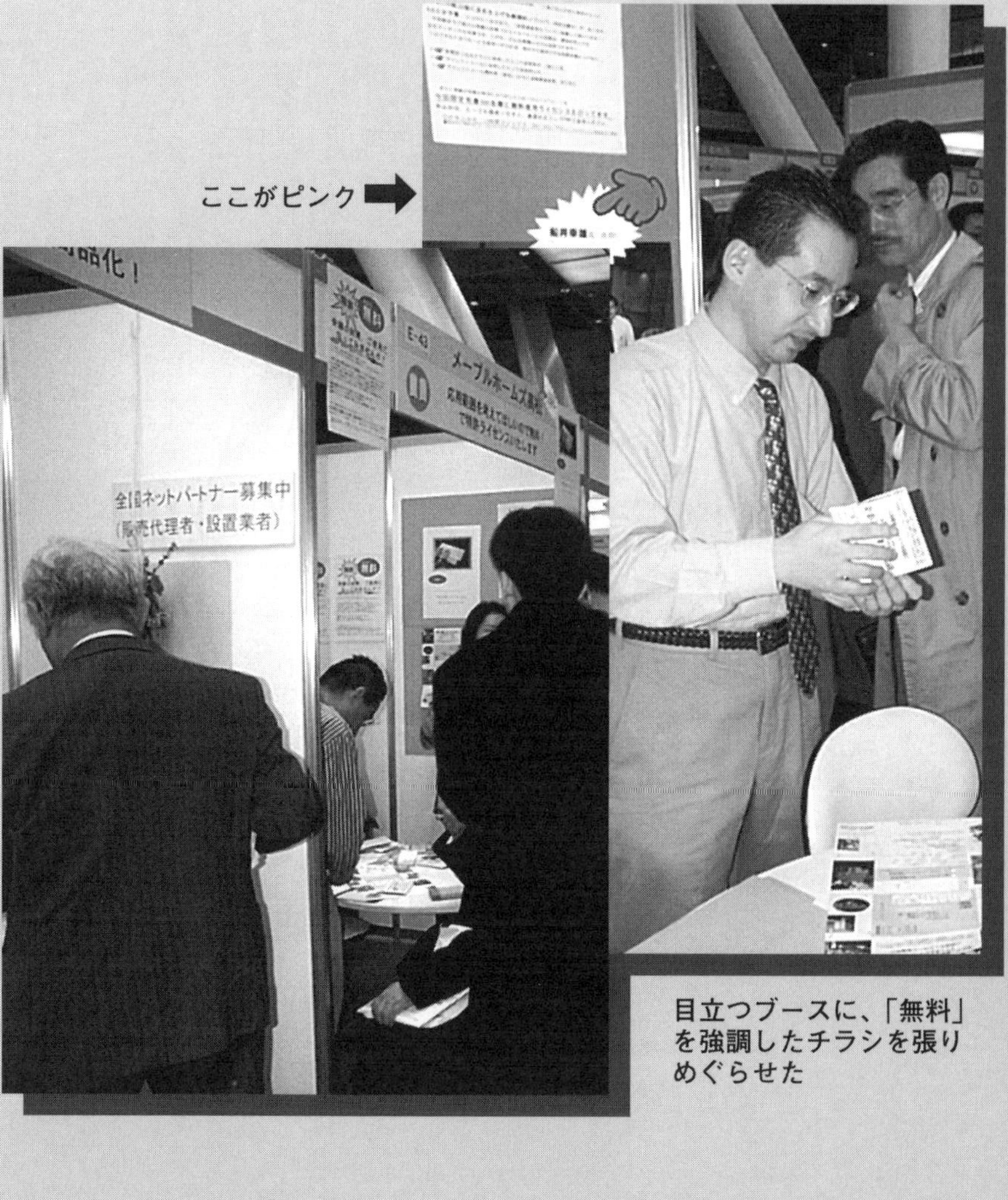

目立つブースに、「無料」を強調したチラシを張りめぐらせた

小さなブースである。しかも「オルトふうとー」なんてだれも聞いたこともない。しかし、人がひっきりなしにブースに訪れた。

さらに、学習塾の新学フォーラムも、日経フランチャイズフェアに出展。この会社も無名である。展示場では、有名大手塾にまわりを囲まれた。決して有利な条件ではない。

ところが次ページのチラシを配って、大盛況。大手塾のブースで閑古鳥が鳴くなか、この無名の塾にお客が殺到した。

このように集客っていうのは、有名だからいいってもんでもない。お金をかければいいってもんでもない。

お金はかけない。しかし知恵は絞った。ライバルよりも目立つブースを作った。興味をそそるチラシを作った。そうやっ

◆「警告!」チラシと「生徒数保証」のオファー

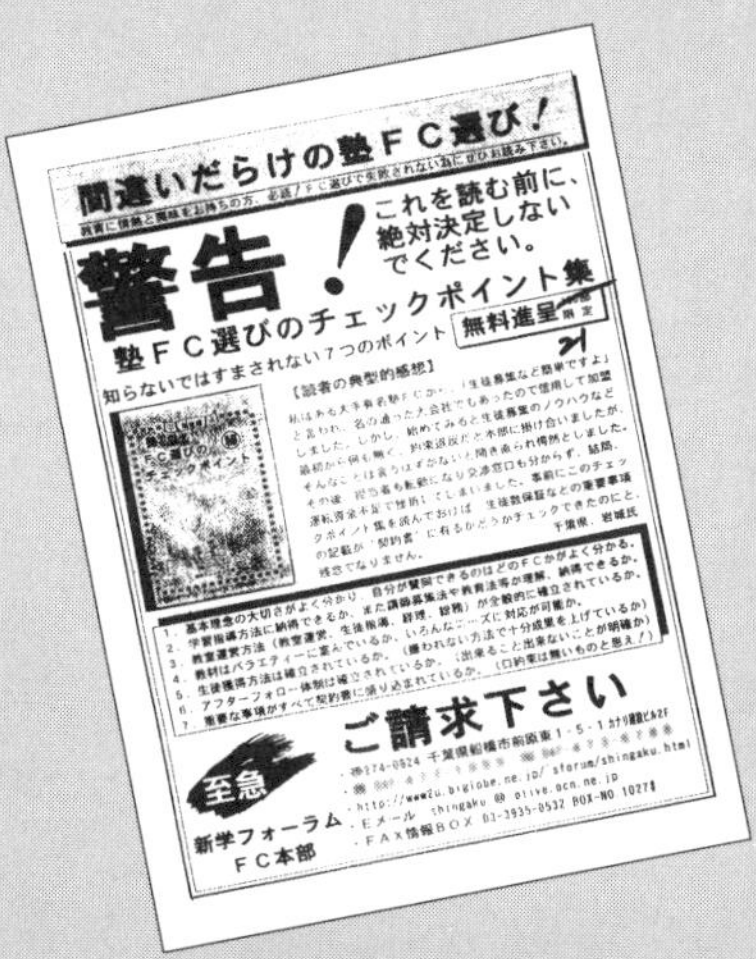

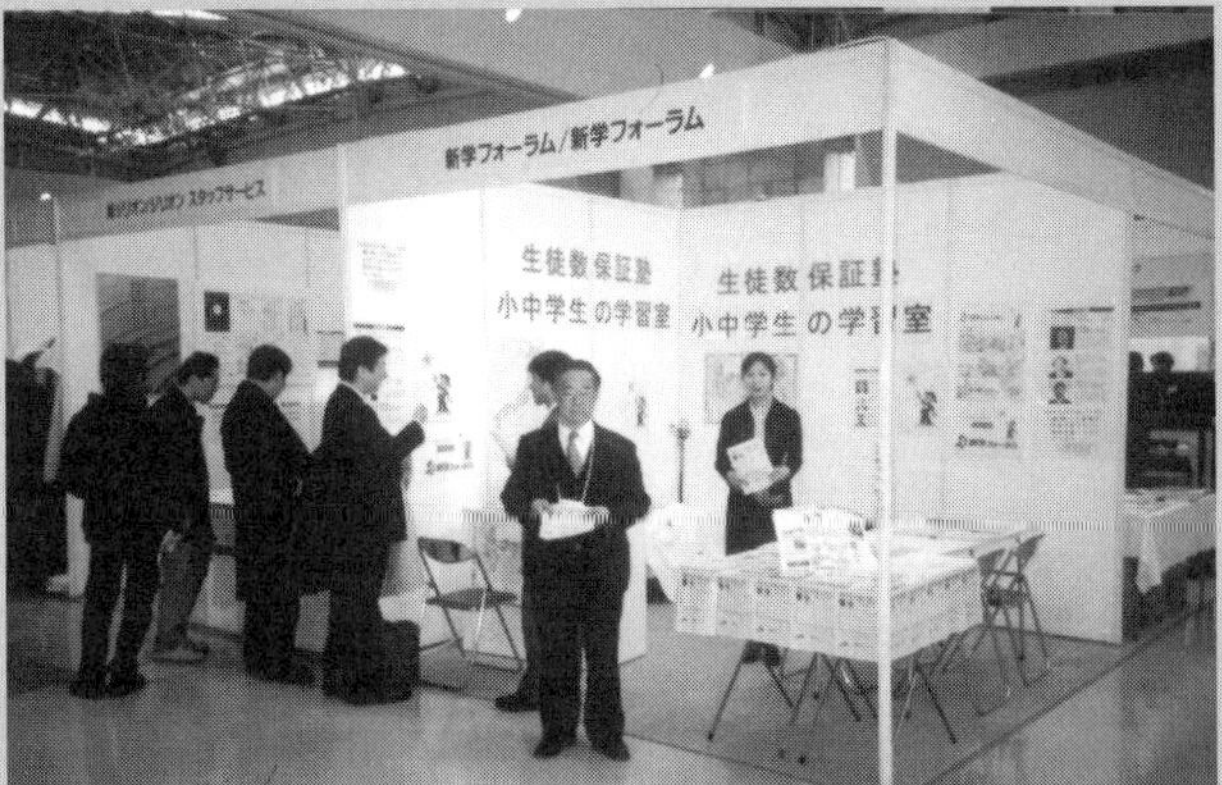

大手塾のブースに閑古鳥が鳴くなか、
360名のFC希望者を集客。

て展示場を歩く人の、**感情の引き金**を引いた。

その結果、ライバルが嫉妬するほど、お客を集めた。

あなたも、ライバルを嫉妬させたくない？　大手企業の、鼻をあかしてやりたくない？

◎ビジネスは、快感《カイカン》

計算どおりにお客が集まる。それは快感である。

計算どおり、って書くと、「お客の感情を操作しているんじゃないか」と思われるかもしれない。

しかし私の考えでは、集客とは、決して感情操作ではない。

集客は、あなたとお客とのコミュニケーションである。そしてコミュニケーションがうまくいくと、あなたの思いが伝わって、集まる人が増えてくる。

お客さんが集まるっていうことは、お客さんが、あなたの会社のファンになっているということだ。そういうファンが増えたとき、ビジネスは本当に楽しい。快感である。

「商売は、真剣勝負なんだ。楽しくやるなんて、そんなチャラチャラした考えでできるか！」

そうお疑いのあなた。見てください、次ページの写真を。

大阪・枚方《ひらかた》の株式会社ハウジングセンターの仲田社長。欠陥住宅を作らない会を作った。そして趣旨に賛同する棟梁、設計士を集めて、欠陥住宅を作らないための説明会を、建築予定地の現場で行った。雨の日にもかかわらず、なんと一五〇組が来場。説明に、真剣に聞き入った。

◆トリコになったお客はこんなに熱心

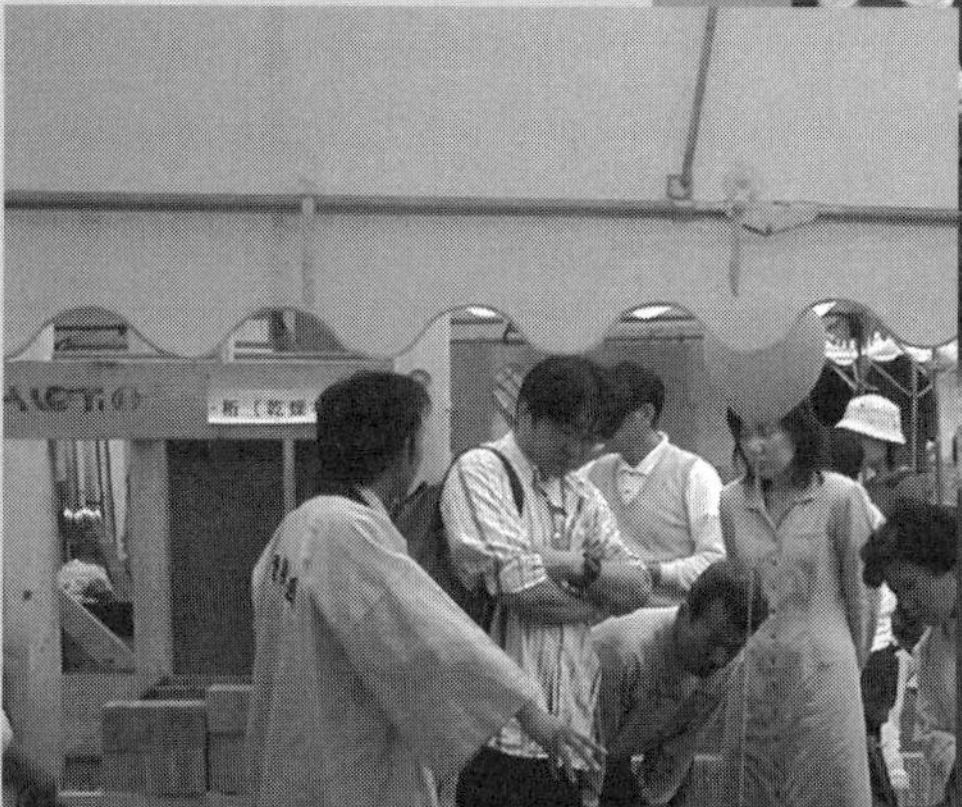

雨のなか、150組が
続々と集まった

次のページの写真は、愛知県・半田市の（資）中仁酒店の大橋さん。大橋さんはソムリエだ。ある時試飲会をやったところ、お客さんがこんなに集まってくれた。彼のワインに対する思いが反応して、お客が集まる。そしてお客が、お客を連れてくる。長年、赤字が続いたが、今年は、単年度黒字を初めて達成した。

まぁ、以上の例は、ほんの一部。とても全部は紹介できない。私のもとには、こんなに嬉しい報告が寄せられている。

このように感情マーケティングは、お客とあなたの距離を近くする。そして、それが収益に跳ね返る。だから楽しい。

◆お客が「楽しいことがありそうだ」と感じる写真

商品をお客が集めるのではない。
お客がお客を呼び寄せるのだ。

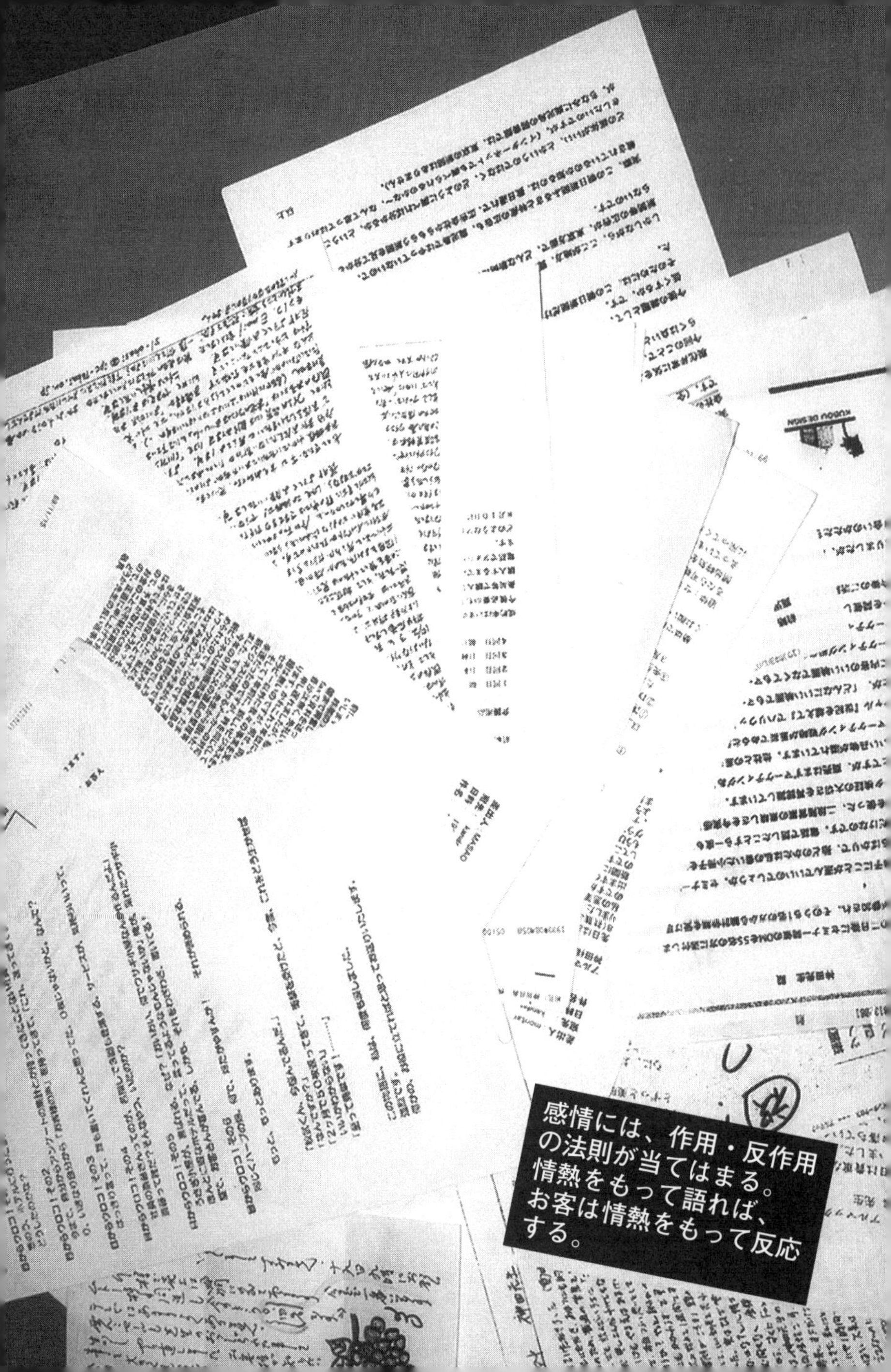

感情には、作用・反作用の法則が当てはまる。情熱をもって語れば、お客は情熱をもって反応する。

◎失敗はない。あくまでも、ひとつのデータ。

もちろん全員が成功しているってわけじゃないよ。若干一名、「抗議します」っていうファクスを送ってきた人がいた。

「あなたの本に書いてあることをやってみたら、チラシの反応が過去最悪になった。あなたは悪徳業者です」

まぁ、こういうケースもあることは事実。

たしかに、私は、悪徳業者かもしれない。商売上手っていうのと、悪徳業者っていうのは、紙一重だからね。

どんなに正直者だってね、金に目がくらむと、悪徳業者につきすすむ。

私も、同じ危険性をはらんでいる。いい気になって、「私を信じない」「祈りなさい」といって、ヘンな壺とか屏風を売りはじめたら、こりゃ危険だよ。そうなったら本当に悪徳業者だから、私の本は、すぐ**ゴミ箱に捨てたほうがいい**と思う。

自分の書いたことに責任はもちたいけど、でも私は神じゃない。

神じゃないから、本を買った全員のビジネスの成功を約束するわけにはいかない。

約束したら、それはビジネスの現実を知らないペテン師だよ。

でもね、約束できることが、ひとつある。

それは、「必ず失敗しますよ」、ってこと。

「失敗したら、意味ないじゃないか！」

いや、その失敗こそ、意味があるんだ。

失敗というのは、ひとつのデータ。あるメッセージをお客に投げかけたとき、何％のお客が反応したかというデータに過ぎない。

そのレスポンス（反応）データの集積が、ノウハウになる。

失敗するのは、当たり前。どんな天才だって、一〇のうち八つは失敗する。

その八つの失敗をできるだけ早くやる。しかも、できるだけお金をかけないでやる。

　これが成功のための秘訣。

だからね、難しく考える必要はないよ。難しく考えると、難しいお客さんしか集まらない。

楽しく、やってみればいいわけ。

ただ重要なのは、はじめの一歩を踏み出すかどうかということ。その一歩が、大変な違いを生むのである。

◎ひとつの行動は、一〇〇回の瞑想に勝る

私はいま、月に一〇〇以上の相談を、経営者から持ち込まれる。

するとね、伸びる人と伸びない人。この違いは、いやになっちゃうほど明らか。

伸びない人に典型的なセリフがある。最初に電話してきて、

「自分の業界にあてはまるでしょうか？」「私の業界で、実績があるでしょうか？」

そう聞かれると私は、次のように答えるようにしている。

「いえ、当てはまりません」「実績もありません」

どんなに実績がある業界であっても、あえてこう言う。

なぜかっていうとね、結果が出る出ないというのは、業界とは無関係。実践する

人の心の持ち方で決まるからだ。

伸びない人っていうのは、行動しない言い訳を探すのが得意。「あぁ、あれは以前やったけど、あまり効果ないんです」「うちの業界では、規制があるから、使えないんです」

一方、結果を出す人っていうのは、「こういうことを考えているんですけど、どう思いますか?」と聞いてくる。

どう違うかっていうと、これは明白。行動することが前提になっている。

多くの成功者を見ているけどね、初めから成功したわけじゃない。そんな人は、絶対にいない。成功者に共通するのは、成功した以上の、失敗をしていることだよね。

失敗をベースに、仮説と検証をしていって、それで、自分なりの仕組みを作っていった。

この仕組みを作るのは、大変。しかも時間がかかると思うでしょ？
いや、それが長くても三ヶ月なんですよ。たかが三カ月間。
三カ月、一生懸命やって結果が出なけりゃ、三年やっても結果は出ない。・・・・・・・・・・・・・・・・・・
その期間、集中できるかどうか？　それで大きく人生が変わる。

行動しなけりゃ、何も変わらない。

逆に、行動をとれば、その働きかけに対して、必ず反作用が起こる。作用しながら、反作用がないってことはあり得ない。物理の法則だよ。

あなたが行動すれば、必ずそれに見合う結果が出る。

◎コネも人脈もないから、行動できる

成功は、小さな行動がきっかけになる。この小さな一歩を踏み出す勇気があるか？

本当に、これで変われる。

私自身、小さなことで、自分でびっくりするほど、変わった。

私は、この間まではサラリーマン。リストラを恐れるサラリーマンだった。でも三年前、覚悟を決めて独立。

初めからうまくいったわけじゃないよ。資金が三〇万円を切ったときには、廃業も考えた。

だけど結果は、初年度で年商一億円。派遣社員一名だけだから、ほとんどが、私の取り分。いまは、正直言って、野球選手並みに稼いでいる。

仕事を選ぶ立場だから、お客に売り込みに行くこともない。いやなお客とは取引しない。いやな仕事もしない。ネクタイもほとんどしない。

何も、自慢のために言っているんじゃないよ。「ほんのちょっとの行動が、大きく人生を動かす」ってことを伝えたいだけ。

独立して、経営コンサルタントの看板を掲げた。

でも、コンサルタントっていうのは、だれでも名乗れる。名乗るだけなら、経験も資格も必要じゃないからね。

要するに、自分はコンサルタントだ、って言ったとたんに、コンサルタントになれる。

でもね、コンサルタントっていうのは、客が来なけりゃ、**ただのプー**なの。

私も最初は、コネも、人脈もなかった。

なんかしないと、食っていけない。そこで一枚のファクスを、ビジネス誌の出版社に送った。

「貴誌に無料で執筆します。ご関心あれば、レポートがありますので、ご請求ください」

六月二日、この趣旨のファクスを、出版社九社に送った。

時間は、午後三時三二分。

株式会社ダイヤモンド社
「週刊ダイヤモンド」編集長
[redacted]

お願いがありまして、失礼を顧みずファックスにてご連絡致しました。

早速ですが、貴誌に情報欄で執筆させていただけないでしょうか。このような依頼は尋常ないと思いますので、まずは自費出版しました拙著「小予算で顧客が集まる画期的なノウハウ」（B5判　70頁）に対する読者アンケートの結果をご覧ください。

面白かった。	88.9％	
分かりやすかった。	92.6％	※全国27名のアンケート結果：パーセンテージは5段階評価で5および4を付けた人の割合
営業上、参考になった。	88.9％	
知らない知識が得られた。	96.3％	
全般的に良かった。	100　％	

読者からは次のような声が寄せられています。

「このような内容の本があるかどうか、本屋へ行って改めて調べてみたのですが、本当にないことにビックリした。」（デザイン制作会社勤務）

「興味のある内容だったので、夢中になって読ませてもらいました。」（不動産会社取締役）

「いままでのマーケティングに挑戦して、試行錯誤していますので、大変参考になりました。」（大手飲料メーカー勤務）

私が執筆可能な内容の一部を上げれば、次のとおりです。

- MBAマーケティングの5つのウソ
- アメリカのマーケティング最新事情
- アメリカの最新セールスノウハウ
- 外資系で働くことの落とし穴
- 小予算で顧客を集める方法

もしご検討いただけるのであれば、至急、拙著をお送り致しますので、下記をご記入の上、ファックスにてこのままご返信ください。本来であれば、お電話で趣旨のご説明をと思いましたが、あなた様の貴重なお時間を無駄にするわけにもいかず、取り急ぎファックスでご連絡致しました。ご無礼の程、何卒お許しください。まずはお願いまで。

株式会社アルマック
代表取締役
神田昌典

追伸、私の経歴書として、ご参考までに日経新聞に掲載された記事を添付致しました。

下記ご記入後、このままファックス（03－5741－8156）にてご返送ください。

□ 執筆依頼を検討したいと思いますので、100%の読者が「全般的によかった」と評価した小冊子を至急送ってください。

ご担当者お名前	[redacted]
部署名	週刊ダイヤモンド
お電話番号	[redacted]

株式会社アルマック
〒146-0093 東京都大田区矢口 2-21-9 TEL 03-5825-3817 ファックス 03-5741-8156

午後四時四七分。一枚のファクスが送り返されてきた。なんと週刊ダイヤモンドの編集長からだった。「レポートを送ってくれ」との指示があった。

ヤマト運輸の最終引取りが五時だった。急いで挨拶文を書いて、レポートを同封。

そして当日に発送した。挨拶文には、「私のほうから、連絡します」って書いておいた。そこで小冊子を読み終わったころに、「電話をすればいいな」と考えていた。


そして翌日。午前一一時二三分、電話がなった。

「あの～、ダイヤモンドですけど……レポート、読みました。面白いです。一度会いませんか？」

週刊ダイヤモンドの編集長からの電話だった。


うぉ～！　って叫び出したくなったよ。

でも冷静を装った。


三日後、会いにいった。

するど出てきたのが、編集長、副編集長。そして取締役。

編集長「いゃ〜、このレポート面白いですね。出版しないんですか?」

私「できれば、したいんですけど……」

編集長「うちから出しませんか?」

私「ええ、よろしくお願いいたします」

編集長「出版担当の、彼を呼んで」

あっけないほど簡単に、出版が決まった。

私「週刊ダイヤモンドの方ではどうしましょう」

副編集長「いろんなやり方があるんだけど、ひとつの方法は巻頭記事だな」

私「あぁ、それは面白そうですね」

私は、顔色を変えないようにしたよ。でもね、あんた、貯金が三〇万円を切っていたところだからね。ミーティングが終わって、道に出た途端、スーツの上着を脱いで、踊り出したね！

こうして無名のコンサルタントが、週刊ダイヤモンドの特集記事を一二ページ書いた。その結果、問い合わせしてきた会社は、二週間でなんと一二八七社。

無名でも、コネも人脈がなくても、ホームランをかっ飛ばすことができる。

一枚のファックスが、人生を変える。

あの時、あのファックスを流す決断をしていなかったら……。

どうです。うらやましいでしょう。

しかし、今度は、あなたがうらやましがられる番。

そして、それは、決して難しいことではない。はじめの一歩を踏み出す勇気をもつ。その一歩が、大きくあなたの世界を変えていく。

マーケティングレッスン

問題　これから伸びる会社は、
A、Bどちらでしょう？

A社

お客さん　「あのー、チラシを見たんですが・・・・・」
電話の声　「大変申し訳ございません、いま営業のものが席を外しておりまして」

B社

お客さん　「あのー、チラシを見たんですが・・・・・」
電話の声　「お電話ありがとうございます。どちらの広告をご覧になりましたか？　広告の下のコード番号がありますので、お手数ですがお教え願えますか？」

☞ 答えはもちろんB社。あなたの会社はA社になっていませんか？

第2章

お客さんの感情を味方につける方法

◎なぜ、ビジネスは難しいと思われているのか?

あなた「なんか神田さんの話を聞いていると、ビジネスが、とても楽しいことのように思えるんだけど……」

私「楽しいよ。仕組みが分かるとね。こういうメッセージをお客に送ったら、このぐらいのお客が反応するだろうと予測する。そして仕掛ける。思ったとおりの結果がでたときは、快感だよ」

あなた「あぁ、そうそう、前の本でも集客は科学だって言ってたけど、本当に予測できるんですか?」

私「うん。慣れてくると、チラシを配った後の一~二時間の電話の入り方で、売り上げがいくら上がるかが分かる」

あなた「でもそういうのは、会社や業界によって違うんじゃないですか?」

私「まぁ、どの会社も、自分は違うって考えたがる。でも現実は、チラシにはチラシ、ＤＭにはＤＭの反応率があるし、広告には広告の反響コストっていうものがある。それは商品品質がどんなに素晴らしくっても、ある程度の枠におさまっちゃう」

あなた「つまり、どういう営業法をとるかで、お客を獲得するコストが決まるわけですね」

私「そう、そのとおり。だから効率的じゃない営業法を選択していると、命取り」

あなた「でもさ、普通は、そんなに楽しいものじゃないと考えられているでしょ。ビジネスは難しいもんなんだと」

私「それは、陰謀だと思うんですよ（笑）。難しく思わせることによって、得する人が一杯いるからね。ビジネスには、簡単なやり方と、複雑なやり方がある。なぜだか、みんな、複雑なほうを選んじゃう」

あなた「それは、どうしてなんでしょう？」

私「多分、経理とビジネスをごっちゃにしちゃうんだよね。ビジネスを評価するときって、経理用語で考えるでしょ。単純化した例だと、売り上げ－費用＝利益みたいな」

あなた「そうそう、そうやって数字を分析していくのが、経営だと思われている」

私「でも、それは〝結果〟の分析だよね。売り上げをどうつくるかっていうのとまったく関係がない」

あなた「分析をいくらしても、ムダだってことですか？」

私「いや、ムダじゃないよ。効率は改善できるからね。でもね、効率を改善するのって、前提として売り上げがあがっていなくちゃならないわけでしょ」

あなた「そうか、つまり数字の分析と、数字をつくることっていうのは違うっていうことか？」

私「そう。でも頭でっかちになると、数字の分析の方に関心がいっちゃうんだな。昔の私みたいにね。ナレッジマネジメントだの、サプライチェーンマネジメントだの、キャッシュフロー経営だの、データベースマーケティングというのは、みんな数字の分析。それは大企業の中間管理職を生かしておくためには必要。でもね、日本の九〇％以上を占める企業って、社員が三〇名以下の零細企業ばっかりじゃない。そういう人たちにとっては、まったく必要ない」

あなた「ビジネスを複雑に考えすぎているってことは分かったけど、じゃ、簡単にやる方法っていうのは？」

私「簡単にやるのが、お客を中心にビジネスを見直す方法。つまりお客を増やすという目的に絞り込んで、その法則性を導きだせばいい。そのお客を増やすシステムの構築を、効率的に進めるのが、感情マーケティング」

あなた「本を読んだときには、『うわぁ、ボクが考えていることがそのまま書いてある』って思ったんだけど……」

私「それは、そう思うように書いてるんだよ。そもそも人間は、分かりやすいものにしか反応しないからね」

あなた「あぁ、そうか。これも神田さんが、相手から反応を得るための、ひとつの手だったんですね」

私「種を明かすと、そう」

あなた「こりゃやられたな。でも分かったようで、自分で応用すると思うと、急に分からなくなるんだよね」

私「それじゃ、感情マーケティングのポイントを、もう一度復習してみようよ」

◎感情マーケティングを実践するための、五大ポイント

ポイント1

客が来なけりゃ、会社は潰れる。いかなるビジネスも、継続的に新規顧客を集めないと潰れる。この原則は、屋台のラーメン屋でも、トヨタやソニーでも変わらない。

「頭のなかの霧が晴れました。経営の目的がはっきりしたんです」

会ったとたん、ある社長からこう切り出された。大変うんちくのある話なので、紹介したい。

「最近、株がいいでしょ。ロータリーの集会に行くと聞かされるんですよ。『通信株で三〇〇〇万円儲かった』だのってね。それが一度だけだったらいいんですよ。ところがね、二度、三度と聞かされるとね。人間弱いもんで、俺もこんな商売で利益を上げようとするよりも、株をやったほうがいいんじゃないか、って思い始める

わけですよ。

それでね、この間の、神田さんの講演会のときに、九州の竹田陽一先生がいらっしゃったでしょう。それでね、竹田先生の本を、正月にもう何冊も読んだんです。そうしたら、頭のなかの霧が晴れました！

竹田先生の本にね、『経営の目的は、お客を増やすこと』ということを教えられたんです。そしたら、バブルの再燃みたいなことに対する興味がさっぱりとなくなった。お客さんを増やすこと、これが経営の目的なんだ、ってことにやっと気づきました」

これ、実は当たり前のこと。当たり前のことだけど、極めて重要。

お客が来なけりゃ、会社は潰れる。

これは、屋台のラーメン屋からトヨタ、ソニーに至るまで、すべてのビジネスに共通する真理。お客を増やすことから目を離した途端、どんなビジネスも生き残ってはいけない。

お客を増やすことに絞ると、ビジネスっていうのは、極めて簡単な仕組みであることが分かる。次の三つの流れを継続的に実践すれば、どんな会社でも必ず繁栄する。

①費用効果的に、見込客を獲得する
②その見込客を、既存客にする。
③その既存客にリピート購買してもらう。

この三つの流れは、あらゆる会社に当てはまる。

「うちの会社のお客は、まぁ、一生に一回しか、うちの商品を買わない。だから、リピート客はいないんだがなぁ」

そういう反論があると思う。

例えば、たしかに土地なんかは一生に何回も買うものではないだろう。でも、一生に一回しか購入しなくっても、既存客からの紹介で、その友達が購入するかもしれない。または、その子供が成長したときに同じ不動産屋にやっかいになるかもしれない。

既存客は、リピート購買の源泉になっているのだ。だから、一生に一回の商品を販売していたとしても、リピート購買というコンセプトは、そのまま当てはまる。

◎三種類のお客とそれぞれを獲得するツール

このように、どの会社も、①見込客を集め、②既存客とし、③リピート客にすることが必要なのだが、ここで、もうひとつ重要なポイントがある。

見込客、既存客、リピート客は、習性がまったく異なる。故に、それぞれを獲得するには、それぞれ別のツールを使うことになる。使うツールと獲得したい客をごっちゃにすると、営業効率は極端に悪くなる。

例を挙げよう。

「俺の目の前にお客がいたら、一〇人中八人は買うね」

飲み屋で、こう自慢しているベテラン営業マンがいる。昔は、これでも良かったんだよね。見込客が大勢いたからね。

しかし、いまは目の前に、客がいないんだから。

こういう営業部長がいると、その会社の営業効率は散々。なぜなら、使うツールと、獲得したい客をごっちゃにしているからね。

俺の目の前にいるお客に、買ってもらうのに必要なスキルは、説得術。

俺の目の前に、お客を引っ張ってくるのに必要なスキルは、広告宣伝。

つまり、それぞれスキルが違う。

この分業がまったく考えられていない会社を、どんぶり営業会社という。軽蔑することにしよう。

とにかくまず第一に見込客。三種類の客のうち、すべての集客の入り口になっているのが見込客。見込客が増えないと、既存客は増えない。既存客が増えないと、リピート客は増えない。ということは、見込客が継続的に増えないと、必ず会社は行き詰まる。

こう考えると、見込客を獲得するためのスキルっていうのが、会社が存続するための必須条件だということが分かると思う。

それじゃ、見込客を獲得するためのスキルって、どんなものなの？

さっきも言ったように、見込客を、「俺の目の前に引っ張ってくる」スキルは広告宣伝。この広告宣伝がうまくいくと、集客の上で、最大の武器となる。なぜなら二四時間、文句も言わずに電話を鳴らしてくれるからね。しかも全国規模で活躍してくれる。また儲からなければ、すぐにクビにする（廃止する）ことができる。

もちろん、営業マンの足でお客を開拓するっていう方法もあるよ。または、片っ端から電話をかけるとかね。ただ、この場合は、肉体的限界がある。人件費以上の利益を上げてくれればいいが、その保証はない。またすぐにはクビにできない。このような難しい問題が出てくる。だから、広告だけで見込客が得られるのであれば、これが最も効率的。

「見込客を獲得するためには、『紹介』が一番早いんじゃないか」

という反論もあると思う。うん、これは全面的に正しい。でもね、紹介っていうのは、ほとんど既存客からしか得られないでしょう？　そりゃ、そうだよね。あなたの会社を全然知らない人が、友人や家族に紹介できるわけないんだから。

「口コミの時代だから、口コミが一番！」そう考える人もいるよ。たしかに口コミっていうのも重要。だけど、あなたの会社を知らない人が、あなたの会社を口コミできるはずがない。つまり、既存客が増えない限り口コミも、生まれない。

紹介も口コミも、もちろん重要。だけど、継続的に見込客を集めるっていう観点からは、広告宣伝のスキルをもつかもたないかでは、雲泥の差が出てしまう。広告がうまくいけば、見込客を、費用効果的に集めることができる。その見込客から、どれだけの売り上げを上げることができるかも、かなりの精度で、予測することができる。

株に投資をするのは、プロでもリスクが伴う。しかし広告宣伝の知識を得たとき、その投資は、自社のお客への投資ということになる。自分のお客に投資したほうが、確実。

ポイント2　広告には二種類ある。売れる広告と、売れない広告である。ほとんどの広告は売れない広告をやっている。

広告宣伝というものには、売れる広告と、売れない広告がある。

売れない広告とはどういうものかといえば、「イメージ広告」っていうやつ。まぁ、新聞、雑誌等を見れば、ほとんどはこのイメージ広告。キレイな写真を使って、商品紹介、価格は小さく、しかも連絡先も小さい。これが特徴。新聞・雑誌の中身はイメージ広告で溢れている。

イメージ広告は、大企業がやっている。そこで、中小企業も、「こんな広告をやればいいのか」と思って真似してしまう。その結果、まったく電話がかかってこない（反応がない）。そういう現実に直面する。

そして、「うちの会社は知名度がないから、広告をやっても反応がない」と思い込む。しかし、それは知名度がないから、反応がない。反応を得ることを目的としない広告をやっているから、反応がないだけ。大企業だって、イメージ広告をやりながら、電話がかかってくることはないんである。

それに対して、売れる広告っていうのは、「レスポンス広告」っていうもの。レスポンスとは、「反応」という意味。つまり、反応を得ることを目的とした広告なる。わけ。

売れる広告と売れない広告を分けるのは、簡単。オファーがあるかないかで決まる。

「オファーってなんじゃ？」っていうと、要するに、無料なんとか。無料ガイドブックとか、無料レポートとか、無料診断とか、無料体験学習とか、無料サンプル進呈だとか、無料モニターだとか……。こういうものをオファーという。

もちろん、無料じゃないオファーもあるよ。お試しキャンペーンとか、お試しパックとかね。

なぜオファーが必要かっていうと、広告効果を計測するため。オファーがあることによって、お客からの反応が得られる。つまり、お客に「あなたの商品に興味あります」って手を挙げさせることが可能になる。そして、その件数を計測する。この広告掲載により、儲けることができるのかできないのかを、一円の単位まで計測する。

イメージ広告とレスポンス広告の特徴を比較すると、あなたは、「イメージ広告は、全然メリットがないじゃないか」と感じるのではないだろうか？

私も以前は、「イメージ広告なんて、金をドブに捨てるためのもんだ」と思っていたが、真剣に考えた結果、二つのメリットを発見した。

まずイメージ広告は、社員の福利厚生に役立っている！

「どこにお勤め？」

「○○会社に勤めています」

「あぁ、あのテレビ広告をやっているところね。いい会社にお勤めねぇ。オホホ」

と、まぁ、通りがいい。そして親戚も親も安心してくれる。

もっと凄いメリットもあるよ。

イメージ広告と
レスポンス広告の比較

	イメージ広告	レスポンス広告
目的	認知度アップ	収益アップ
特徴	●写真、グラフィック等のアート性、洗練されたイメージ ●クリエイティビティ重視	●コピー中心。顧客へのベネフィットを直接訴求 ●オファー(無料プレゼント無料サンプル等)の提供
期待する顧客の反応	●小売店で選択、購入	●注文、もしくは資料請求
反復性	●認知度を得るために、何回も繰り返す	●数回テストをして、収益が得られなければストップ
効果の計測	●収益への貢献を数字で計測は困難	●広告宣伝ごとの効果測定が厳密にできる
既存客の特定	●サンプル抽出による調査	●データベールの構築により、顧客プロフィールを明確化
特に適する業界	●消費財（食品、飲料等）	●高価格耐久消費財(住宅、自動車等)、サービス(金融、旅行、教育等)
メリット	●社員の親が安心する（？） ●愛人が喜ぶ（？）	●ダイレクトに儲けにつながる！

これは裏話だが、ある金融機関は、和服の女性をモデルとして使っていた。たまたま頭取の愛人が日本舞踊をやっていた。そこで、その愛人をモデルとして使ったそうだ。

また最近、週刊誌で読んだのだが、ある塾の社長はキャバクラで出会った女の子を、広告メインのキャラクターにして登用。なんとその人と結婚するっていう話があった。

このようにイメージ広告は、愛人を喜ばすには、絶大の効果がある！

しかし、売り上げに対する直接的な効果っていうのは期待できない。

だから真剣に事業に取り組んでいる会社は、イメージ広告を出すのは致命傷になりかねない。

ある家庭教師派遣チェーンの社長からこんな話を聞いた。この社長は、創業数年間でかなり儲かった。そのときに、「税金を払うぐらいだったら」という考えで、テレビ宣伝をやった。大阪のお笑い芸人を使った。制作費一億円以上を投入。結果は……悲惨の一言。そのときに広告代理店からこう言われたそうだ。
「テレビだったら、最低五億はかけないとね」

どんどん伸び盛りの会社っていうのは、大企業に対する対抗意識がある。そこで、テレビや新聞でのイメージ広告をやりたくなる。しかし、それが落とし穴になるケースが後を絶たない。

イメージ広告は、お金が湯水のようにあまっているところ以外は、絶対にやってはいけない。

ポイント3

広告宣伝への反応は、ちょっと言葉を変えただけで、大きく変わる。それが売れる仕組みを築けるか築けないかを決定することもある。

広告宣伝は、表現をちょっと変えただけで、反響が大きく変わる。まったく同じ商品、同じ価格であっても、広告の見出しが違うだけで、売り上げが数倍も違ってくるのだ。

例えば、浄水器のモニター募集の告知で、「お試し」と「無料モニター」という二パターンの言葉を使った結果では、無料モニターという言葉を使ったほうが、反応が一八・八％も良かった。

旅行会社で「経費を削減します」という広告と、「まだムダ金を航空券に使いますか?」という広告を出した。後者の広告は、電話がかかってくる本数が一〇倍も多くなった。

冗談みたいな話だが、ある言葉には、お客さんの感情の留め金を外す効果をもっている。

北海道の千歳空港に、「空港限定・生カマンベール」という商品がある。この「生」っていう文字も、感情的な文字である。生カマンベールって言われても、さっぱり分からないが、その文字を付けると売れるのである。

あるスーパーが魚を売るときに、「生」って書いたら、それだけで売り上げが二割程度上がった、という報告もある。魚が生なのは当たり前、にもかかわらず、である。

このような効果が計測されている言葉はほかにもある。「無料」「限定」「いまなら」「いますぐ」「お申し込みは、カンタン」という言葉は、レスポンス広告にはなくてはならないものになっている。それは、そういう言葉を使うことによって、反応が伸びるということが検証されているからである。

さて、一番反応が得られない広告というのは、次の方程式で説明できる。

自己満足広告＝商品名＋商品自慢（機能説明）＋価格＋連絡先

これを人間関係として考えると、次のようになる。

「俺は、東大卒で、現在、銀行に勤めていて、年収一〇〇〇万円。こんなにいい男なんだから、当然、俺と結婚するよね！　電話番号は、××××-××××」

あなただったら、この男を選びますか？

一方、反応率が得られる広告っていうのは、自分のことを説明するのではなく、相手のメリットを説明する。

自分のことを言いたいのは分かる。でも、それはガマンして、相手が聞きたいことを言わなければならない。

言いたいことを言うんじゃなくて、聞きたいことを言う、のである。

それはどういうことか、先ほどの人間関係で、言い換えると、

「無料！　幸せな結婚生活！　安定的な一生を、あなただけに。

自己満足広告
＝商品名＋商品自慢＋価格＋連絡先

俺、○田×夫！
東大卒で、現在銀行に勤めていて
年収1000万円！
こんないい男なんだから、当然結
婚するよね！
電話番号は、××××－××××
商品名
商品自慢
価格
連絡先

東大卒だから安定的な生活を、あなたに約束できます！

年収一〇〇〇万円だから、ワンランク上の人生を楽しむことができます！

詳しい経歴書をご用意しています。ご請求はカンタンです。いますぐお電話で。なお先着一〇名さま限り」


ということになる。


あなたの作った広告を見てほしいんだけど、どっちのパターンになってます？

実は、雑誌や新聞のほとんどの広告が、自己満足広告なんだよね。


反応を得るためには、言いたいことを言うんじゃなくて、聞きたいことを言う。

あなたの広告が、お客が聞きたいことを言っているか？　まずチェックしてみてほしい。

ポイント4

見込客を広告宣伝で集めた後、成約するためには、はじめに設計図を書いておくことが重要である。そして、オファーによって、自発的にお客さんに階段を登ってもらうことが重要。

広告の反応は、どのような表現を使うかで大きく変わる。じゃ、表現だけをこねくり回せばいいのかというと、そうではない。

それよりも、もっと重要なことがある。それは、見込客の集客、成約、そしてあなたの理想のお客になってもらうまでの、全体の設計図なんですよ。

この設計図で重要な点は、「亀の歩みで進む」という点。あせらず、一歩一歩、階段を上っていくように、お客に近づいていく。ステップ・バイ・ステップで、徐々に、お客から声がかかるように営業プロセスを設計していくことが基本。

たいていの会社は、このステップを考えていない。買ってもらうことだけを目的に、売り込みをかける。すると、お客は、「必要ないものを売りつけられる」と考える。そこで、あなたを避けることに、最大のエネルギーを使うことになる。

例えば、駐車場管理システムを販売するベンチャー企業があるとしよう。売り込み先は、大手スーパー。駐車場の空車情報をコンピュータ管理する。その結果、スーパーのお客のCS（顧客満足度）が高まり、集客が良くなることが売りのシステムだ。

お客の感情を考えないで設計図をつくると、次のような営業ステップを踏むことになる。

第1ステップ　とにかく自分の商品の良さを叫び続ける。（キーマンすら、誰だか分からない。叫び続ければ、誰かが出てくるだろうというアプローチ）

第2ステップ　とにかく見積もりだけでも、出させていただく。

第3ステップ　何回も頭を下げて、お願いする。

設計図がない営業

ハードルが高いので、お客は
ドアさえ開けてくれない

これはマゾの人には、いい設計図だと思う。

どうして頭を下げつづけないとならないのか？　それは、営業のステップとお客の感情が不一致を起こしているからである。お客は、差し迫った必要性があるわけでない。また抑えきれない欲求があるわけでもない。

このような興味のないお客に、買ってもらうためには、営業マンはどうしなければならないのか？

話を聞いてくれる、お人好しの客に対して、第1〜3ステップを繰り返すのである。このような設計図を書いている限り、先の見えない不安な人生を送ることになる。

しかし設計図を変えることにより、あなたは、まったく違った**新しい人生**を送ることができる。

第1ステップ　キーマンに手を挙げてもらうための無料レポートの提供。

例：「スーパー経営者が知らなかった、駐車場でのトラブル　〜
この五つのクレームが、お客をライバル店へ向かわせる」

第2ステップ　低価格サービスの提案。キーマンにとって、ハードルの低い商品で、取引を開始する。

例：駐車場管理代行サービス、成果報酬での経費削減コンサルティング等

第3ステップ　駐車場管理システムの提案。

ポイントは、スムーズな段階を踏んで、商品提案を行っているかである。このような段階を踏んだ場合は、相手から声がかかりやすいようになる。すると、お願いしている場合に比べ、交渉相手との立場が強くなる。その立場の違いは、当然、最終価格に影響を及ぼす。

さらに、このような小さなステップを踏むことによって、**予測できる営業**を行うことができる。例えば、第1ステップのレポートを請求した会社が一〇〇社あ

設計図がある営業

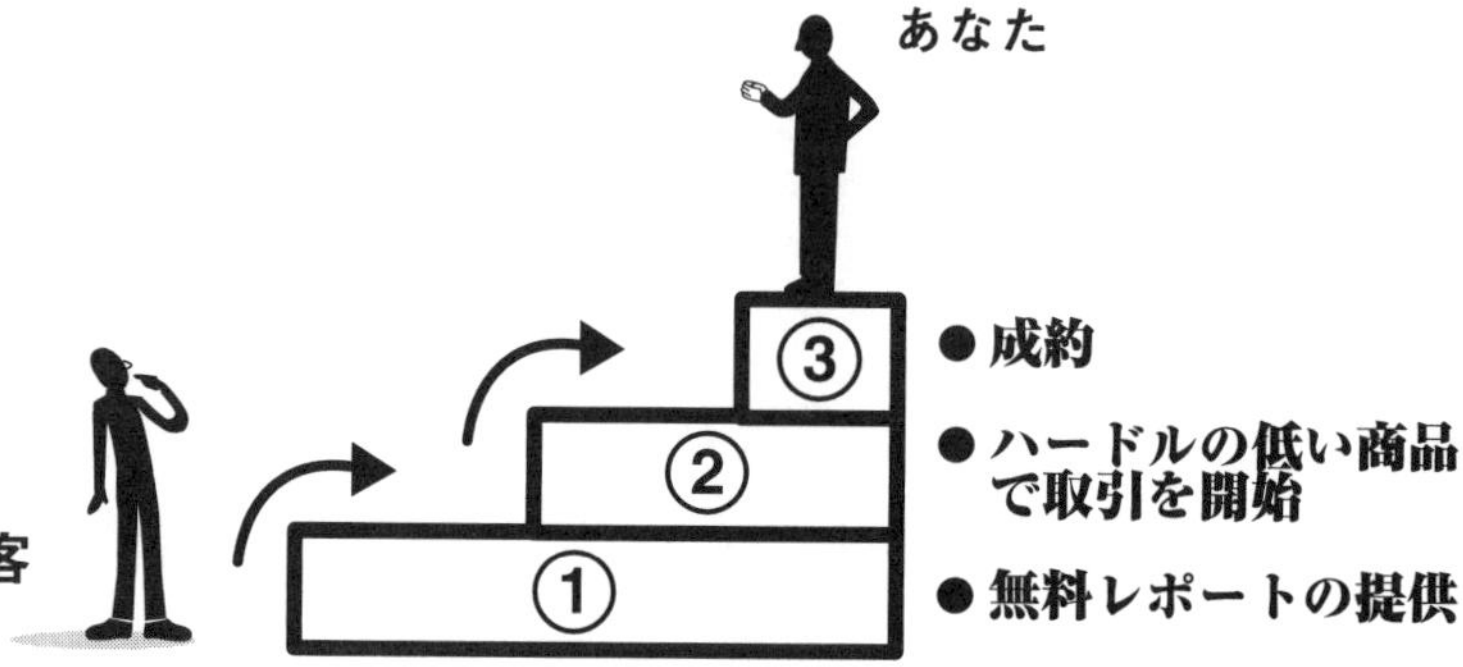

ハードルが低く、適切なオファーにより、お客が自ら階段を上る

ると、その二〇％が三カ月以内に、第2ステップに進む。さらにその二五％が六カ月以内に、第3ステップに進むといった具合である。つまり**時計のように正確に**売り上げを上げるようになる（ウソのような話だが本当）。

これは法人向け営業の場合である。もちろん消費者向け営業でも、設計図を変えることによって、効率に大きな違いが生じる。

例えば、新聞広告を使って、化粧品を販売する場合、二つのパターンが考えられる。

第一のパターンは、「この素晴らしい化粧品を、一万円！　ご注文はいますぐ」という販売方法。つまり1ステップで販売する方法である。

それを段階営業にした場合、設計図は次のようになる。

第1ステップ　広告による無料サンプルの提供
第2ステップ　サンプル請求者向けご優待価格の提示
第3ステップ　利益率が高い商品のご提案（上得意客向け販売）

前のパターンは、「この商品は素晴らしい」と訴えて、買ってもらうように努力する。それに比べて、後のパターンは、とにかく無料であげることに注力する。そして手を挙げてくれた人に対して、その段階ごとに、適切なオファーを提示する。

この二つのパターンを比較すると、いったい、どのぐらい効率が異なるのだろうか？

ある化粧品販売会社の例で言えば、同じ新聞の同じ面で広告をした場合、前者の1ステップ広告をやった場合には、三件の販売。後者の2ステップ広告をやった場合には、六〇件の反応。そのうち二割が成約している。売り上げで四倍の差がついた。

広告表現の違いで、大きく反応が変わることも事実だが、そもそもの前提として、この営業の設計図が間違っているとダメ。見込客が集まらない、見込客を集客しても成約しない等の問題が生じてくる。逆に、営業の設計図が、お客の感情と対応していると、営業効率がアップするだけでなく、予測できるシステムの構築が可能になる。

ポイント5　ニーズ・ウォンツ分析法™を行って、お客の視点から魅力的に見える商品の位置付けを考える。

感情マーケティングとは、簡単に言うと、いままで自分本位だったマーケティングを、お客様本位に直していくこと。つまり、顧客視点で売り方を考えてほしいっていうことだ。

「なんだ、顧客視点？　そんなこと、もう古いじゃない。どの本を見たって、『顧客視点で考えなさい』って書いてあるよ」

そうなんです。みんな知ってること。知ってるんだが、できない。どうしてできないかっていうと、考える枠組みがないから。

それじゃ、どういう枠組みで、顧客視点を考えるか？
そのひとつのやり方が、ニーズ・ウォンツ分析法™。

ニーズ・ウォンツ分析法とは何か？
一言で言えば、買ってもらうためには、お客のニーズ（必要性）だけじゃなくて、ウォンツ（欲求）も満たさないとダメ、ってこと。

あなたは、友人とこんな会話をしたことない？

あなた「この商品どうかな？」
友人「うん、ニーズはあると思うよ」

しかし現実には、ニーズがあるだけじゃ、まず売れない。本当に、見極めなくちゃならないことは、単なるニーズ（必要性）じゃなくて、**差し迫った必要性**。

例えば、あなたが、リンゴを売るとする。通りすがりの人に、「リンゴおいしいよ」といったらどうか？　必要性はあるけど、まず売れないよね。なぜなら、差し迫った必要性がないから。

船が転覆して、やっとの思いで島に漂着したという人には、差し迫った必要性があるよね。このような状況では、リンゴはとても高く売れるわけ。

しかし、船が転覆して腹をすかした人を探すのは難しい。

そこで今度は、ウォンツ（欲求）に視点を移してみる。

普通は、人々のリンゴに対する欲求は低い。リンゴなんて、どこにでもあるからね。そこで、単なる欲求じゃダメ。**抑えきれない欲求**を起こさないと、売れない。

「抑えきれない欲求って何？　リンゴに対して、抑えきれない欲求なんて起こりようがないじゃない？」

そう、思われるかもしれない。でも、次の文章を読んでみてほしい。

「幻のリンゴ　～　このリンゴは、普通のリンゴではありません。日本リンゴ品評会で、三年連続で、最優秀賞を受賞した○○農園。その農園のなかでも、特Aクラスと、生産者自らが厳選。通常は、高級ホテル、料亭へ卸されるのみ。予約で完売するリンゴですが、この度、弊社のお得意様に限りまして、一○○コを特別にお分けしていただくことができました。価格が高いんじゃないかとご心配かもしれませんん。たしかに通常のリンゴよりは若干、値は張りますが、十分その価値はあります。食べておいしくなければ、私の信用にかかわりますので、代金は頂きません。いますぐ幻のリンゴをご賞味ください」

このリンゴが目の前にあったら、あなただったら、どうします？

このように単にニーズ、単にウォンツじゃなくて、差し迫った必要性、抑えきれない欲求が起きる状況を考えることで、反応率を上げることができる。

大切なことは、ニーズやウォンツは、変更できないものではない、ということ。切り口を変えることによって、位置付けを変更させることができるということだ。リンゴの話は、次ページのように、チャートで説明できる。

このようにニーズ・ウォンツ分析チャートによって、お客の頭のなかが見えるようになる。言い換えれば、商品やその商品を販売するためのメッセージが、お客から見て魅力的かどうかを、明確化できるようになる。

普通は、だれもが、こう考える。

一般の大衆

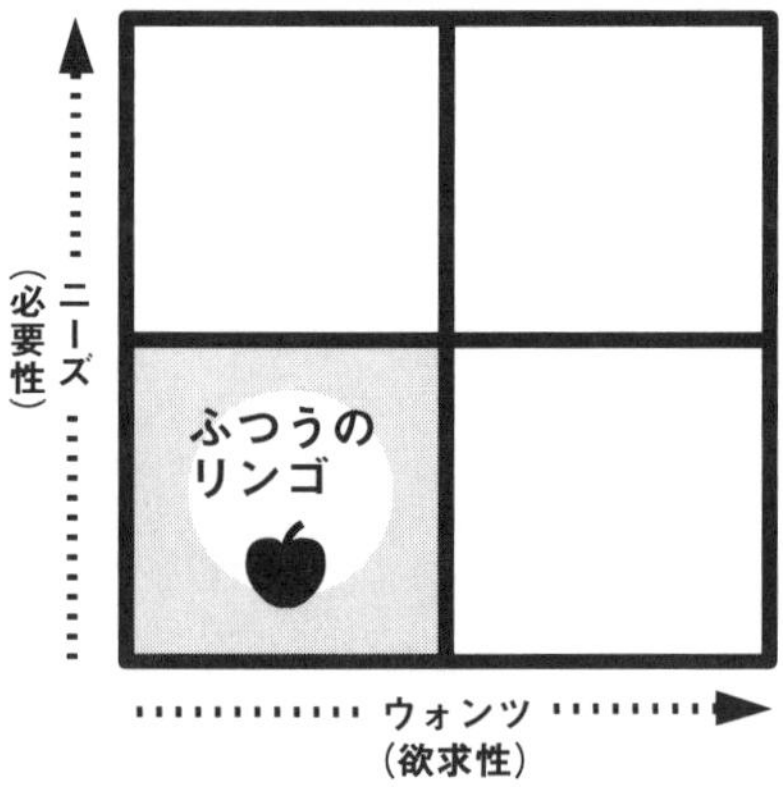

◆一般の大衆にとってふつうのリンゴはニーズもウォンツもない。だから反応が得られない

腹を減らせた大衆を特定すると

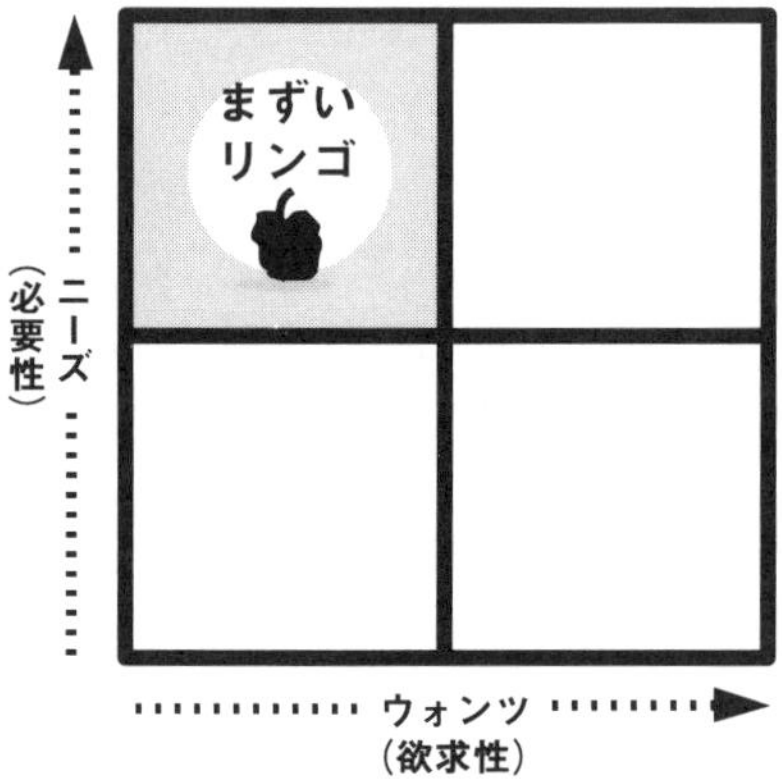

◆腹を減らせた大衆にとっては、リンゴは差し迫った必要性がある。だからまずいリンゴでも反応が得られる

グルメに絞りこむと

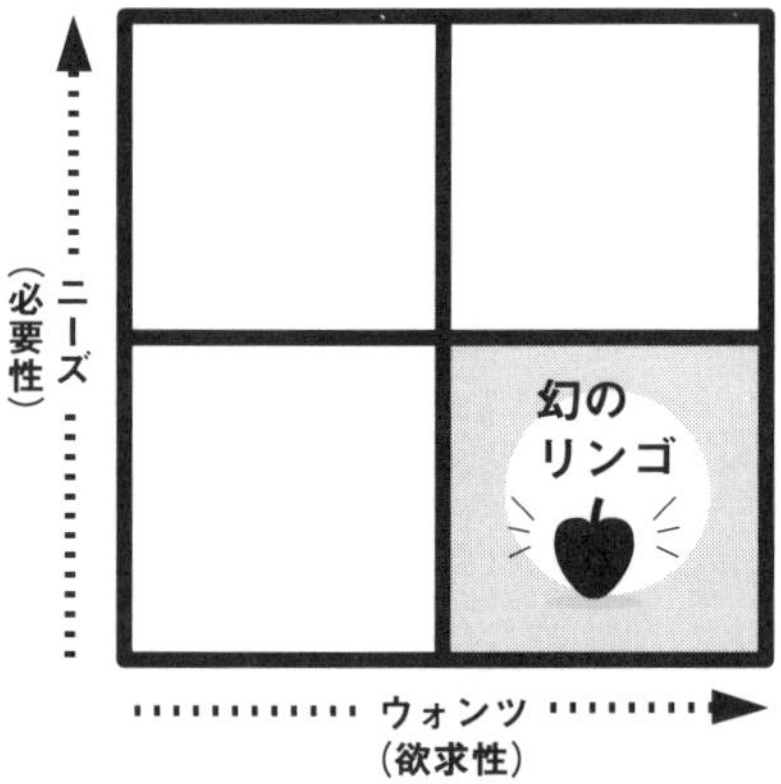

◆グルメにとってはうまくて数が少ないリンゴには抑えきれない欲求をもつ

「俺、これ、売れると思うんだよね。こういう切り口だったら、絶対、売れるよ」このように極めて主観的な判断をする。すると自分勝手な解釈の、押し付け営業をすることになるわけ。

「顧客視点で考えろ」ではダメ。現実問題、ほとんど顧客視点で考えられない。

ニーズ・ウォンツ分析チャートのなかで、あなたの商品は、どこに位置付けられているのか？　こう客観的に評価してみる。そしてね、できるだけ位置付けを、右上端にもってくる。すると、お客の視点から商品が魅力的に見え始める。

マーケティングレッスン

問題　イメージ広告のメリットとして、正しいものに○をつけなさい（複数可）

1　売り上げがアップし、投資対費用効果に見合った効果が期待できる。

2　何十億も投資した場合、商品認知度が上がる可能性はある。しかしその前に広告代理店が大儲けする。

3　福利厚生制度の一貫として、社員の虚栄心を満たすことができる。

4　愛人をモデルとすることができるので、愛人からの絶大な評価を受けることができる。

5　犬小屋の敷布団として利用することができる。

☞ 答えは……ご想像におまかせします。

第3章

正直者が陥るビジネス常識四つの罠

◎なぜ私は敵をつくるのか？

あなた「神田さんの言っていることっていうのは、辛らつだよね。前作でもそうだったけど、広告代理店や経営コンサルタントを痛烈に批判しているでしょ。かなりバッシングがあったんじゃないですか？」

私「ところが、バッシングは一切ないんですよ。逆に、『私は、以前、有名広告代理店に勤めていましたが、まったく同意見です！』なんて、励ましの声をもらったりね。ただ、ある経営コンサルタントからは、『コンサルティング会社でやっていけない典型的タイプ』と評されました。まぁ、やっていけなくて良かったと思います」

あなた「でも、どうしてわざわざ敵をつくるんですか？　僕は神田さんのことを知ってるから、穏やかな人だと分かるけど、知らない人には、誤解されると思いますよ」

私「心配してくれてどうも。でも、良く分かったね、私が意識的に敵をつくろうとしているってことを。その理由は、二つあるんだよ。ひとつはね、仮想の敵をつくることで、読者との共感が得やすいんだよ」

あなた「あぁ、そうか。そうやって、わざと感情を揺さぶっているわけかぁ。感情を揺さぶると、行動を起こしやすくなるっていうのが、神田さんの理論でしたもんね」

私「別に私の理論じゃなくて、それは、昔からずっとあった理論。私は、それを実践しているだけ」

あなた「でも、なんで共感を得ようとするわけですか?」

私「だって、そうすると連帯意識が生まれる。そして、口コミが広がりやすくなるでしょう」

あなた「でも、敵を設定することによって、品位を疑われませんかね」

私「それは、そう。ライバル店を敵にするのは、単にイヤなやつになってしまう。だから、ある意味で、嫌われている対象を、仮想の敵に設定する。例えば、政府とか銀行とかね。もちろん環境破壊を敵にすることもできるよ」

あなた「そういえば、ある政治家が銀行を敵に回すことによって、支持率を上げましたね。このケースも、選挙民の共感を得るために、あえて敵を作ったのか」

私「そういう解釈も十分ありうるよね」

あなた「あぁ、わざと敵をつくる理由が二つあるといいましたよね。二つめは何ですか？」

私「それはね、常識を疑って欲しいからだよね」

あなた「常識って、ビジネスを行う上での常識？」

私「そう。ビジネスではね、常識だと思われていることに、あまりにもウソが多い。なぜなら常識を隠れ蓑《みの》にして、儲かる人が出てくるからね。その常識を、そのまま受け入れてしまう結果、悲惨な目に遭うことが多いんだよ。実は、私自身が、悲惨な目に遭ってきたからさ、同じ間違いをする人を見るたびに、ガマンできないんだ。こりゃ、だれかが声を大にして、『これは罠なんだぞ』と伝えなくちゃ、って」

あなた「ビジネスの常識には、どんなウソがあるんですか？」

私「知りたい？　それじゃ、みんなが信じているビジネス常識のウソを四つ紹介しましょう」

正直者が陥るビジネス常識の罠 その❶
「口コミで、凄く売れているんです」

ある石鹸の販売代理店から、電話をもらった。

「画期的な商品です。**口コミだけで、爆発的に**売れています。本部は月商三億円です」

「うわぁ〜、この時代に、月商三億円かぁ。凄いなぁ」と私は思った。

商品説明を聞いた。たしかに素晴らしい石鹸のようだ。

その後、私はこの代理店から、次の相談を受けた。

「神田さん、この商品をどうやって広告宣伝したらよろしいんでしょうか?」

さてここで質問です。

あなただったら、この石鹸を効率良く販売するために、どのような広告宣伝をしますか？

新聞？　雑誌？　それともチラシ？

どれも違います。

正解は、「何もしない」。

「『何もしない』って、いったい、どういうこと？　真面目に答えなよ！」

こう、お叱りを受けそうだ。しかし私はマジである。

口コミでヒットしているのが、もし本当だったら……。販売するのは、極めて簡単。

友達に無料で上げればいいだけ。すると、ねずみ算式に一〇人も二〇人もお客を連れてくるはず。なんたって、口コミだけで爆発的に売れているんだからね。

だけど無料で上げたところで、お客は増えない。これが現実。

メーカー本部が、明らかにウソをついている。

私「代理店加盟料は、いくらだったんですか？」

代理店「いや加盟料はないです。商品の仕入れだけでいいんです」

私「商品の仕入れは、いくらしたの？」

代理店「えっーと。四〇万円ですね……」

ビンゴ！　これが本部にとっての、**儲けの仕組み**。

この手の化粧品の粗利っていうのは、たいてい九割を超える。原価が九割じゃないよ。粗利が九割だよ。

口コミで売れている、すでに月商三億円になっている。

このように販売が簡単であることを匂わせる。そして代理店に商品を買わせる。

代理店は、在庫を仕入れたものの、どうやって販売していいのか分からない。販売しようとすると、ほとんど売れないという現実に直面する。

そして「商品はいいのになぁ〜」と途方に暮れるのである。

◎口コミで売れる商品、売れない商品

「口コミで売れてます」と言われると、私はまず疑ってかかる。

なぜなら、これは多くの場合、宣伝文句だからね。

まず疑ってみた後、ある基準に照らしてみて、口コミで売れる商品かどうかを判断する。

口コミで売れる商品かどうかを判断する基準とは？

それは単純。「日常、話題にしたい商品かどうか」ってこと。

口コミが効果的なのは、日常会話でよく話題にする業界。

例えば、レストラン。

おいしいレストランに行ったら、今度は友達を連れてきたくなるでしょう？　だからレストランというのは、記憶に残って話したくなるような工夫をすれば、口コミが広がりやすい。

レストランのほかには、食品、旅行、ファッション、映画。つまりレジャー、エンターテインメント系の業界。これは日常の話題にされやすいので、口コミが起こる。

さらには、医者、税理士、弁護士のように、業界の広告規制があるために、どこで優良なサービスが受けられるのか分からない場合。このように情報が入手困難な商品購買の際には、口コミが説得力をもつことになる。

逆に、口コミが広がりにくいのは、どういう商品か?

もう、分かるよね。そう、話題にもしたくないような商品。

例えば、トイレ用品とか、墓石とか。なぜなら、そもそも自分の日常会話で、トイレモップや墓石の話ってしないよね。

これじゃ、口コミが広がるわけがない。広がったとしても、ゆっくりゆっくり。


石鹸についても同様。もちろん女性は、化粧品について話題にする。しかし、友達や家族と、石鹸について話したくてどうしようもない、という人は、かなりマニアックな人じゃないかな。すると「爆発的に、口コミで、石鹸が売れている」っていうのは、どう考えても怪しい。


「口コミの時代」と言われている。

たしかに商品情報があふれ、購買選択基準があいまいになってくればくるほど、口コミは重視される。

しかし本当に、口コミで売れるのかどうか?

それが単なる本部の、自分の売り上げを上げるための宣伝文句かどうか。
これが判断できないと、つまらないビジネスに引っかかる危険性がある。要注意。

正直者が陥るビジネス常識の罠 その❷
「そこが、うちのノウハウなんですよ」

「あの〜、フランチャインズに加盟しているんですけど……。チラシを配っても、ほとんど反響がありません。どうしてなんでしょうか？」

こういう相談を、頻繁に受ける。
本来だったら、高い加盟料を払ったのだから、フランチャイズ本部に聞けばいい。でも私のところに電話。なぜだろうか？

フランチャイズへの加盟が多いのは、脱サラ・独立組だ。退職金をもらって、第二の人生を踏み出そうとする。独立開業をするには、フランチャイズは手っ取り早い手段。そこで各種フランチャイズ資料を取り寄せてみる。

そして説明会に参加。詳しい話を聞いてみる……。

「うん、このぐらいのリスクなら、なんとかやっていけそうだ」

そう判断して、加盟を決心する。

ところが開業してみると、利益が出ない。


利益が出ないわけは、後になって気付く。まず、本部の初期立ち上げ費用の算定が甘い。さらに本部の用意したチラシを使っても、お客が集まらない。


実は、ほとんどのフランチャイズのノウハウっていうのは、運営ノウハウ。

例えば、ハンバーガーはこう作る。厨房の機械はここから仕入れる。アルバイトはこう雇う。バイトの研修はこうやる等々。本部は、そのフランチャイズに食材を卸す、実質的なメーカーになっているケースもある。

たしかに、こうした運営ノウハウは必要だ。しかし、どんなに商品が素晴らしくても、どんなに運営が楽になったとしても、お客が来なけりゃ、**プー**である。

本部の作ったチラシじゃ集まらないのは、なぜか？

本部の作るチラシっていうのは、多くの場合、全国均一である。すべての加盟店が、名前だけを入れ替えれば、簡単に使えるようになっている。

一般的に考えれば、全国均一のチラシは、大変メリットがあるように見える。なぜならば、大量発注で、チラシの単価が下がる。有名タレントが使える。またイメージの良い四色カラーのチラシができる。大量発注の低コストで、イメージが良くなるので、チラシの反応がアップするような気がする。

しかしデータを計測していくと、四色カラーだからといって反応率がアップするわけではない。商品によっては、低価格イメージが出るために、再生紙に一色のチラシのほうが反応がいい場合もある。またタレントを使ったからといって、反応率がアップするとは限らない。イメージ広告になってしまい、表現がぼやける危険性があるわけだ。

このように、集客ノウハウをもっているフランチャイズを探すのは、非常に困難なのが現実。もちろん良心的なフランチャイズもあるよ。素晴らしいコンピュータ・システムや事業運営ノウハウをもっている。業界専門コンサルタントもとても敵わないぐらいレベルが高い。そういうフランチャイズ本部もある。でも、やはり多くのビジネスと同じように、本物っていうのは、極めて少数派だよね。

だから第二の人生を踏み出そうとする人は、厳しく判断してほしい。特に「それが、うちのノウハウなんですよ」と言われた場合には、注意すること。

そのノウハウが、集客ノウハウなのかどうか？　それを見極めるには、集客データが蓄積されているかどうかが目安になる。

どんなチラシを、いつ、どこで配ると、何％の反応率が得られるか。その後、何％の成約率が得られるのか？

このようなデータを明確にする本部は、合格点。単に、運営ノウハウを提供するだけではない。安定的なキャッシュフローを生む仕組みを提供していくという姿勢が見られるよね。逆に、商品、会社の素晴らしさしか強調しないフランチャイズは疑問。集客ノウハウはもっていない可能性が強い。その場合、せっかくの加盟金を払っても、相談できる相手がいない！

そこで青くなって、電話をかけることになる。

「あの～、フランチャイズに加盟しているんですけど……。チラシを配っても、ほとんど反響がありません。どうしてなんでしょうか？」

正直者が陥るビジネス常識の罠 その❸

「これから有望な資格です」

専門学校では、受験前に模擬試験をやるでしょ? この試験のことを、学校のスタッフはなんと呼んでいるか、知ってる?

早期囲い込み試験

つまり大事な見込客を、他の学校に奪われないようにするための試験。このように資格っていうのは、二面性がある。表の顔は、能力を認定、就職を有利にするという面。裏の顔はね、極めて収益率のいいビジネスとしての面。

たしかに勉強するってことは重要。でもね、資格を取ったからといって、必ずしもバラ色の人生が待っているわけではない。

そもそも私は学歴オタクだった。必要のない修士号を二つももっている。

そのうちひとつは、アメリカのトップ・ビジネススクールのＭＢＡ（経営学修士）。バスケットのＮＢＡじゃないよ。ＭＢＡだよ。ＭＢＡっていうのは、アメリカでは、ビジネスで成功するには、不可欠と言われている資格。ビジネス一〇年分の経験と知識を、二年間で得られると言われている。

それだけ素晴らしい資格であれば、非常に役に立つかっていうと、そうでもない。実際、私と同期に留学していた日本人の多くが、「会社では役に立たない」とゴルフばかりしていた。これが現実。

どうして私が資格オタクだったかといえば、資格をもつと、**安定的な高収入の人生**が送れるという幻を追っていたんだと思う。資格をもっていると就職のときに困らない。人より出世するだろう、という幻想。

しかし、資格を取り尽くして、気付いた。

「安定的な高収入な人生が送れるかっていうと、そんなことは決してない。しかもMBAみたいな学歴をもっていると、給与が高い分だけ、リストラの対象にされやすい。全然、不安は消えないじゃないか」

まぁ、勉強するのは、非常にいいこと。だけど、私自身が回り道をしてきちゃったから、アドバイスするけど、資格さえあれば人生バラ色ってことは、ありえないですよ。

「今後、有望な資格です」っていうほうも商売。だから、「この資格さえ取っておけば、大丈夫」っていうかも知れない。しかし踊らされてはいけない。自分の人生設計を考えて欲しいんですよ。本当に、その資格が必要なのかどうかってね。

独立したてのころにお会いした社長さんに、山形県の漬物屋さんがいた。

その漬物屋の社長は、年収二〇〇〇万円以上稼いでいる。年収二〇〇〇万といっても、それ以上は稼いでもしょうがないから年収二〇〇〇万にしてるだけ。

彼がどんな生活をしているかというと、まず質素ながら立派な家に住んでいる。背広なんか着てない。作務衣を着ている。自由な生活。しかも尊敬されている。農家を育成する立場にある。「あなたが頑張ってくれると山形県は良くなる」ということで、自治体からの信望も厚い。

そんな姿を目の当たりにして、私の人生観がガラガラと崩れた。「大企業で出世街道を驀進《ばくしん》する」という選択肢が、実に不自由な人生じゃないかと気付いた。大企業の取締役でも、二〇〇〇万円もらってない人も最近多いだろう。しかも自分の自由になる時間がどれほどあるか？

そもそも日本の会社というものを考えてみれば、法人の九〇％以上は、三〇名以下の事業者である。ほとんどが零細企業なわけ。大企業というのは、例外中の例外。こういった現実があるにもかかわらず、マスコミが首都圏に集中しているもんだから、大企業ばかりにスポットが当たる。だからみんな勘違いしてしまうんだね。

正直者が陥るビジネス常識の罠 その❹

「上場を視野にいれています」

あるベンチャー会社に勤める人と、飲み屋で話した。

「最近の若い者は夢が小さい、大きな夢をもたないといけない」

どんな夢かっていうと、彼自身は、「でっかい家に住みたい」って言う。門から玄関までが、車で十五分ぐらいかかるようなでっかい家。

この人は、マスコミのベンチャーブームに踊らされていると、私は思った。

夢をもつのはいいよ。上場して二〇〇億、三〇〇億円の資産をもつのもいい。でも、一財産つくって何やるかというと、「門から玄関まで、車で、十五分の家に住みたい」と。

それは悲しいと思う。

考えてみてよ、そんな家もってどうするの？

毎日、玄関まで十五分もかかっていたら、面倒くさいだろうに。広い家だと、メンテナンスも大変。しかも、いずれにせよ相続して、なくなっちゃうんだから。

「玄関まで十五分の家」に住みたいんだったら、実は、簡単な方法がある。フィリピンやアフリカに行くといいよ。フィリピンには、日本では考えられない超豪華な家がいっぱい。毎晩、自宅で、ダンスパーティをしている。私は、以前仕事でナイジェリアにいたけど、そこでは一カ月三〇〇〇円でメイドを雇えるんだよ。

上場して二〇〇億、三〇〇〇億円もの資産を築くことをジャパニーズ・ドリームっていって、マスコミは煽り立てるけどね。そんなに財産もったって、使い切れんのですよ。

ビル・ゲイツが言っているように、お金を儲けることよりも、お金を賢く使うことのほうが難しい。

お金の使い方が下手な人がお金持ちになってしまうのは、ジャパニーズ・ドリームというより、ジャパニーズ・ナイトメアー。**日本の悪夢。**

◎お金がないから、工夫ができる

石を投げれば、上場計画中に当たる。

「数年以内に、上場が目標」という起業家が多くなっている。そのなかには、本物のベンチャー企業もあれば、ニセモノのベンチャー企業もある。例によって、ニセモノが多い。計画だけだったら、だれにでもできるからね。

それじゃ、本物かニセモノか？　どうすれば、見分けることができるか？

「上場を視野に入れています」という発言が、資金集めを目的としている場合。これは危険信号。なぜなら、資金がないと成功できないという発想自体に、根本的な間違いがある。

事業を起こすのに、資金はいらない。

資金がゼロでは、無理だよ。でもね、成功する人っていうのは、与えられたもののなかで工夫をする。例えば、資金が一〇万円しかなかったとするでしょ。すると一〇万円を一〇〇万円にする。これが本物の起業家。

・・・・・・・・・・・・・・・・・・・・・・・・・・・・・・・・・・

一〇万円を一〇〇万円にできない人は、一〇億円を一〇〇億円にできない。

一〇億円を集めて、それを食いつぶしていく人。

これはニセモノ。こういうニセモノほど、大風呂敷を広げて、資金を集めたがる。

いま、事業で成功するためには、ほとんど資金はいらなくなっている。

パソコンは無料で配られる。パソコンと電話があれば、事務所はいらない。自宅で仕事ができる。社員は派遣会社から、翌日には派遣される。メーカーをやって、初期投資が多い場合はともかく。いったい、何にお金が必要なのか、考え込んでしまうぐらい。

私も独立したときは、パソコンと電話のみ。事務所は、自宅マンションの四畳半の物置。机の前には、妻の洋服ダンスがドーンとそびえていた。でも、そのころから日本経済新聞の一面に広告を出していた。「自分が書いた本を一五〇〇円で売ります」っていう広告ね。するとね、わざわざ自宅兼事務所に訪ねてきて、本を買ってくれるお客さんがいる。

そのお客さんに「自宅で仕事をしているコンサルタント？　信用できねぇな」と思われたか？

そんなこと全然ない。逆に、「間接費をかけない、実力あるコンサルタントだ」と好感をもってもらえる。つまり、デメリットっていうのは、本人の自信のもち方で、メリットになっちゃう。

もちろん学習塾やエステ等のように、物理的場所を確保しなけりゃならないものもあるよ。でも美顔に絞った出張エステサロンだって考えられる。試験対策に絞り込んだ電話とファクスだけの学習塾だって考えられる。そうやって専門化していったほうが、事業リスクは少ないよね。

「いゃ～、神田さん、そうはいうけど……。うちの場合は、コンピュータプログラムをつくるのに開発資金がいる。だから資金が必要なんだけど……」

それじゃ、その開発計画を話して、お客にモニター参加してもらえばいい。モニター特典として、新開発システムを格安で提供。しかも成果保証つき。さらに、その商品が他社に将来売れた場合には、売り上げコミッションの一部を還元する。

例えば、その商品が一〇〇万円だったとするでしょ。すると、売り上げコミッションの還元によって、実質的に**一〇〇万円が無料になる提案**をする。まぁ、こうすれば急速にお客は獲得できるわな。要するに、投資家を捕まえる努力をするよりは、お客を獲得する努力をしたほうがラク。しかも近道、ということ。

このように、資金がないほうが、工夫ができる。

どんな工夫をするかっていうと、お客を増やす仕組みを工夫するわけでしょ。

それが重要だっていうのは、当たり前の話。

しかし、多くの会社が、資金を集めるということのほうにエネルギーを使う。

私には、狂っているとしか思えない。

一〇万円を一〇〇万円にできない人間は、一〇億円を一〇〇億円にはできない。

そんな単純なことを、みんななぜか忘れている。

◎顧客獲得の知識をもてば、夜も安心して眠りにつける。

「口コミで売れている」「これから有望な資格です」「そこがノウハウなんです」

「上場を予定している」

どれも、日常、よく聞く表現だよね。

でも、私はまず疑ってかかる。ウソがあるように思えて仕方がないのだ。

さっきの表現を、分かりやすく翻訳すると、次のとおり。

「口コミで売れている」　↓　「本当は、あまり売れてません。どうやって売っていいのかも分かってません」

「これから有望な資格です」　↓　「資格ぐらいはもっておいたら？　気休めになるから」

「上場を予定してます」　↓　「私、宝くじをもってます。当たりますよ。うちに投資しない？」

「それが、うちのノウハウです」　↓　「とりあえず契約しなさい。後は、あなたの責任よ」

このように私が疑い深くなるわけは、ビジネスで最も重要なことが忘れられているからだ。

ビジネスで、最も重要なこと？

それは、お客を獲得することである。

お客の獲得っていうのは、それ自体を、真剣に取り組まないとダメ。ところが、お客は自然に湧いてくるっていう理論を信奉している会社が多い。

いい商品であれば、いつか儲かる。一生懸命働けば、いつか儲かる。

そういう呪文を唱えている。

まぁ、いつかは儲かるかもね。ただ儲かるまでが、精神的にツラい。


この間、カイロプラクターの先生から電話があった。

最近、手に職を得たいと、針灸とかカイロプラクターの免許取得熱が高まっているそうだ。専門の学校に通う。技術を学ぶ。それで、おしまい。

「あなたは、学ぶものはすべて学んだ。後は、お客を見つけなさい」


しかし、たいていの人は、ここから躓《つまず》く。事務所を開いても、看板を掛けても、お客が来ない。そういう日が何日も続く。こりゃ、結構、つらいよォ。

お客が集まらない理由を考えはじめると、自分に対して不安になっていく。

ビジネス会話のウラ事情

よく聞く表現		真意は……
口コミで売れている	⇨	本当はあまり売れてません。 どうやって売っていいのかも分かりません。
これから有望な資格です	⇨	資格くらいは持っておいたら？ 気休めになるから。
上場を予定しています	⇨	私、宝くじを持ってます。当たりますよ。
それがうちのノウハウです	⇨	とりあえず契約しなさい。 後はあなたの責任よ。

「自分の技術が良くないいんじゃないか」と自信を失う。

そこで、彼らは、こう考える。

「自分の技術をもっと高めて、より良い治療ができれば、お客はきっと集まるだろう」

そして、学会に行ったり、研修を受けたりして、技術を上げるよう努力する。

それでも、集まらない。

ライバルの先生を見て、不思議に思う。

「彼は技術が無いのに、なぜあんなにお客さんが来るのだろう?」

これはたまたまカイロプラクティックの先生の例。だが、どの業界でも、同じような話で溢れている。「商品を改善すれば、お客は集まる」と信じる。しかし不安な日々から、抜け出せない。

腕がいいことは、お客に支持される必要条件。でも十分条件じゃない。

ビジネスは、掛け算だってことを認識しないといけない。

新規顧客の獲得　＝　①優れた商品・サービス　×　②見込客を集める知識　×　③成約するための知識

ほとんどの学校で教えるのは、①のみ。もちろん経営の仕方っていうのは、教えるかもしれないよ。しかし、その経営っていうのは、要するに、経理の簡単な説明。つまり、お客を獲得した後の、数字の管理となる。

繰り返すけど、ビジネスは掛け算。

足し算だったら、技術を良くすれば、それに応じて、新規顧客の獲得数は増えるよね。でも、掛け算だから、①がどんなに素晴らしくても、お客を集める知識である②と③がゼロだと、すべてがゼロになっちゃう。

一×〇は、〇。

一〇〇×〇も、〇。

ところが、②、③がプラスの値になったとたん……

一×一は、一。

一〇〇×一〇〇は、なんと一万！

だから、一人勝ちする会社と、いつまで経っても苦しい会社の二とおりに分かれる。

私は、儲かる会社にするためだけに、お客を獲得する知識が重要だと言っているんじゃないよ。金銭的な問題ではなく、精神的な問題。

お客のつかまえ方さえ知っていれば、不安がなくなる。

極端な話、明日、地震や戦争が起こっても、生きていく自信を持てる。焼け野原でも、大丈夫。お客の集め方さえ知っていれば、商品は後からついてくるからね。
お客の集め方を知っていれば、夜も安心して眠りにつける。

マーケティングレッスン

問題　あなたの商品を無理なく
お客様に提案していくためには、
どんなステップを踏んだらよいと
思いますか。下の空欄に書いて
ください。
（答えはあなた次第です）

（別にすべての階段を使う
必要はありません！）

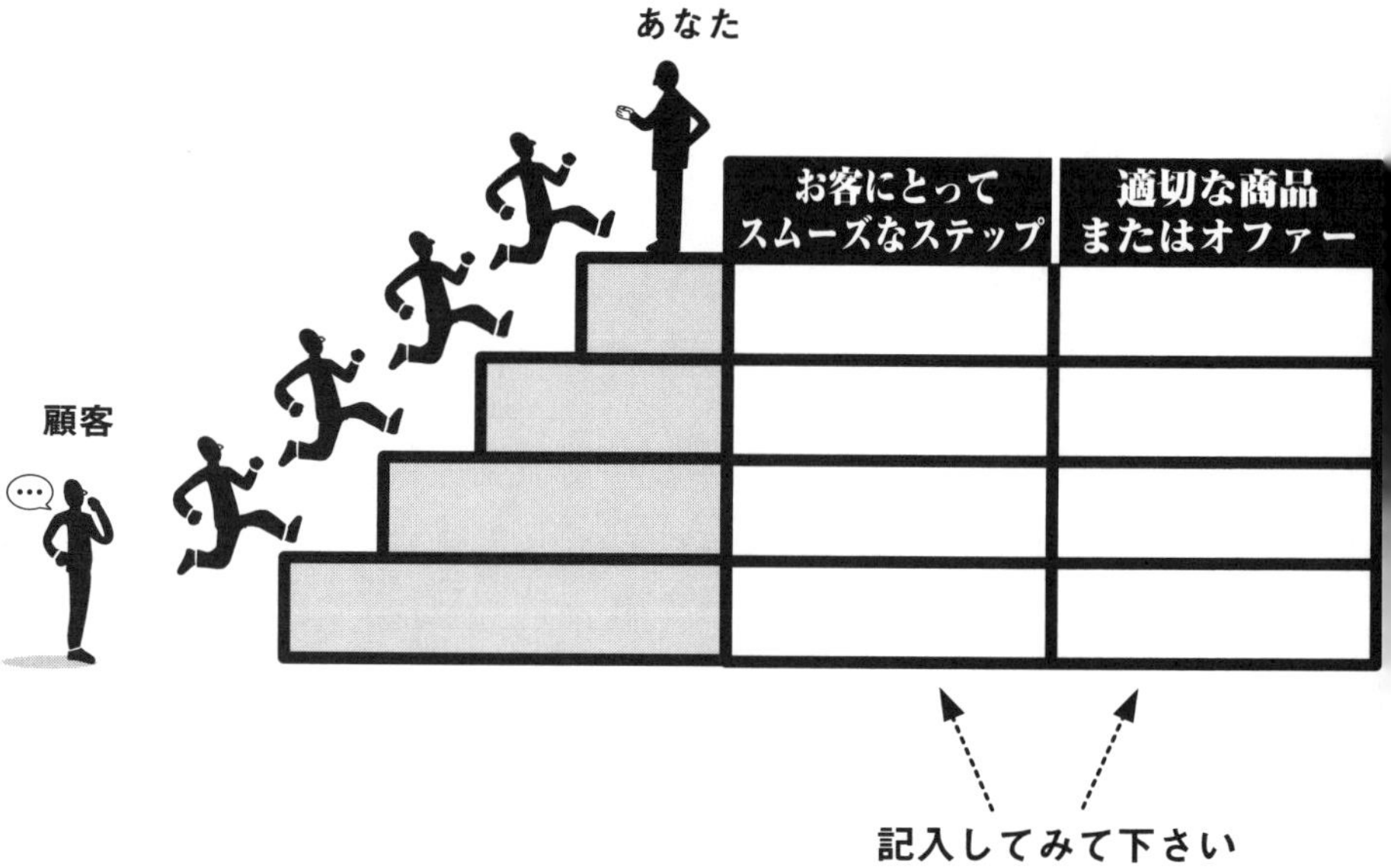

☞ ヒント・階段がいくつでも、お客がすんなりと次の段までいけるか。
あなたの会社の商品を確認してみてください。

第4章

エモーショナル・マーケティング実践編

◎だれもが必ず犯す五つの間違い
〜だからお客が集まらない

あなた「前の本のタイトルだけど、『あなたの会社が90日で儲かる!』って、あまりにも、胡散くさいんだけど……」

私「あぁ、これはわざと胡散くさくしているわけ。なぜかっていうとね、逆のパターンを考えてほしいんだけど、『エモーショナル・マーケティングの理論と実際』というタイトルは、そりゃ、まともそうだよね。でも絶対に売れない」

あなた「そうだなぁ、そんなタイトルだったら、きっと手にも取らなかった」

私「そうでしょう。手に取ってもらうためには、**『えっ、ウソだろう』**って思うぐらい圧倒的なメリットを打ち出して、ビックリさせないと」

あなた「でも、胡散くさくちゃ、買わないんじゃないですか?」

私「胡散くさいだけじゃね。でもね、**圧倒的なメリット＋証拠**があれば、大丈夫。その証拠が豊富であれば、胡散くささが、**真実み(リアリティ)**をもってくる」

あなた「あぁ、それで今回の本でもそうですけど、実績を出した会社を数多く掲載したんですね」

私「そう。そのとおり」

あなた「でも、多くの実績が出ていますけど、本当のところは、どうなんです。ズバリ本当に九〇日で儲かるんですか？」

私「そりゃ、ただ読んで、後は祈っているだけじゃ、儲からんよ。掲載されている会社だって、『自分だったら、これがどうやって応用できるんだろう』って、自分なりに考えて、成功しているわけだからね。やっぱり頭に汗をかかないと」

あなた「あぁ、やっぱりね。楽して儲かるってわけじゃないんだ」

私「そうそう。知的に怠惰な人は、やっぱり成功しない」

あなた「頭に汗をかかなくちゃならないとはいうものの、実際には、本に書いてあることを基に、実績を上げている会社が数多く出ているんでしょう。しかも神田さんが個別に指導に入っているわけじゃない。そもそもビジネス書っていうのは、理論が多くて、実践できて、しかも結果が出るという本は、あまりないような気がします」

私「うん、たしかに実践してくれた会社で、うまくいく会社の確率は、ビジネス書としてはかなり高いと思う。その理由は分かるかな？　それは『実践したくなる』ように書いているからさ」

あなた「またですか！　どうも私も操られているように思えてきましたよ。でも、なんで実践したくなるのかな？」

私「たいていのビジネス書っていうのは、著者がさ、『俺は頭いいから、こんなに難しいことも分かる。こんな斬新な理論を開発した』っていうノリが多いでしょう。でもさ、それじゃ尊敬されるかもしれないけど、実践したくはならないよね」

あなた「ということは、イメージ広告と同じような感じですね。『面白いね』、と評価されるけど、それだけ」

私「そう。結局、エモーショナル・マーケティングっていうのは、人を行動させてこそ意味がある。行動させるためには、どちらかというと、『俺みたいなバカでも、できた。だから、あなたにもできるはずだ』っていうアプローチの方がいい」

あなた「そう、そういえば、学習塾の宣伝でも、『こんな私が、東大生に！』というコピーがありましたね」

私「うん、それも同じ発想」

あなた「前回の本が出てから、実践されている方は、どんな結果をあげてます？」

私「うん、まぁ、今回、巻末に掲載されているとおりなんだけど、当然、こうやって結果を報告できる人もいるけど、やってみて『どうも思い通りにならない』という人もいるんだよ。でもね、結果が出ない会社っていうのは、同じような間違いを犯しているケースが多いね」

あなた「それは、どんな間違いなんですか？　成功例ばかりじゃなくて、失敗例を見せてくれるととても参考になるんですが……」

私「そうだなぁ。まぁよくある間違いっていうのは、次の五つかなぁ」

よくある間違い その❶

いきなり人生を語ってしまう。

「よーし、そうなんだ！　俺は、この商品に、凄い思い入れがあったんだ。でも、その思いをどう表現していいのか分からなかった。お客さんは、感情で購入を決めるんだから、俺の**熱い情熱を伝えれば**良かったんだ！」

ということで、いきなり熱い気持ちのこもったダイレクトメールや小冊子を書いてしまう。

その文書は、いきなり自分の生い立ち、人生を語ってしまう。

例えば、こんな感じだ。

拝啓　初めてお手紙を申し上げます。

この度はお子様のお誕生誠におめでとうございます。ご家族様のお喜びは、いかばかりかと目に浮かぶようでございます。又奥様はうれしくとも大変いそがしい日々をお過ごしの事と、ご推察いたします。現在インフルエンザが猛威を奮っております。充分お体にお気を付けいただき、おつかれにならぬ様ご慈愛下さい。

私も時々長女誕生の頃を思い出します。生まれました時は、うれしくて、うれしくて、カメラを買いに走りました。妻が母乳を飲ませている時等色々な場面を撮りまくりました。「今はビデオの時代ですね」娘は身体が弱く一週間に十回もお医者に行った事もございました。日に二回、熱が下がらないと医者につれていった時、お医者様に「親が神経質になりすぎだ」と、おこられた事もございました。一才に成ったら風呂上りに冷水を体にかけると良いと言われ、それ以来抵抗力がつきました。今では、彼女も嫁ぎ三児の母となっております。最近では妻と当時の頃のアルバムを時々開いて、初節句の頃の思い出などよく話しております。妻の母に買ってもらったおひな様は、娘が嫁ぐ時持たせてやりました。娘は現在二十八才に成り三人の男子に恵まれています。三月三日のひな祭りには、自分のおひな様を飾って子供達とお祝いをしております。

以下、延々と続くので、このくらいで略そう。

ところが、自分の生い立ちに興味があるのは、残念ながら自分と自分の奥さんだけ。まぁ奥さんもほとんど興味をもってないだろうから、お客にいたっては、読んでも全然面白くない。

だから、いきなり自分の人生を語ってしまったら、その時点で、お客は読むことをストップする。

しかも、自分の商品に対する思い入れを語ったところで、お客は商品に興味を持っていない。自分の商品に興味をもっているのは、あなただけ。「自分はこんなにこの商品に興味を持っているんだから、お客もきっとそうだろう」と考える。それは思い過ごし。


では、お客が興味や関心をもっているのは何か?

それはお客さん自身のこと。お客は、自分にしか興味が無い。


だから、「自分はこうだ」と言っている限り、お客は集まらない。

「お客様はこうですね」と、いつも「お客様」を主語に持ってこなくちゃいけない。

そこで、「あなた」を主語に持ってくる文章を考える。「あなた」を主語に持ってくるトークを行う。

「あなた」が主語になるメッセージを伝えたときに、お客は初めて反応する。

例えば、先ほどのような文章も、あなたを主語にすれば、次ページのようになる。

五月人形なんて、どこで買っても同じ！
私も以前は思っていました。でも、あの店員さんに教えられたことは…

「また五月人形のダイレクトメールが！」

五月人形をそろそろ選ばなくちゃならない。でも、ダイレクトメールを見るたびに、
「どの店も同じだわ。」
「違うのは、価格と、社名だけだわ。」

　そう思われるのは、あなた様だけではありません。
　実は十人中○人の方が、人形はどこでも同じと思っているのです。その結果、買ってから、「○○しなければ、良かった」「これじゃ、○○だわ」「今からキャンセルできないかしら」と、大変な後悔！

一方、「○○！」「毎年、○○○○！」と喜びをかみしめる家族があります。

人形を買って損するひと、人形を買って得するひと。

その運命の別れ道は、実に簡単なことにあります。まずは聞いてください。

私は、○○○○○○の社長をしております、○○○○と申します。はじめまして。

昭和○年○月。長女が生まれたときのことです。私は嬉しさで一杯でした。そしてメリーゴーランドを買いにいきました。あの、天井からつるすおもちゃです。たかがおもちゃの買い物。でも「限られた予算のなかで、できるだけいいものを長女に買ってやりたい」と、何軒も何軒もおもちゃ屋を訪ね歩きました。

ある玩具店で、「天井からつるすメリーを見せてください」と頼みました。すると、思いがけない答えがかえってきました。

＜以下略＞

どう？　読みやすくなった？

恋人に思いを伝えるにも、「俺は、俺は」じゃ伝わらない。「キミ」を主語に持ってくる。それだけで、思いが伝わりやすくなる。

よくある間違い　その❷

教科書的で、分かりにくい。

マーケティングの最大の罪とはなんでしょう？

それは、「分かりにくい」ということ。

お客は専門家じゃない。あなたの商品のことは、普段考えない。だから、徹底的に分かりやすくしないと、関心すら払わない。

文章が固い。難しい言葉が多い。専門用語が多い。文章が長い。

どれもが反応を落とす原因になる。

私は、このような文章のことを『教科書的』って呼んでいる。教科書は事実を正確に伝えることが目的。でもマーケティングは、人を行動させることが目的。行動させるためには、教科書的なメッセージは致命傷となる。

行動させるには、**小学生でも分かる**言葉を使わないといけない。

ところが頭のいい人は、事実に正確に説明しようとする。説明が馬鹿丁寧になる。「クレームがあっちゃいかん」というので、差し障りないことだけを伝える。

もちろん事実にウソがないのは必要条件。だけど一〇〇%正確な事実だけを並べても相手の感情は動かせない。

それじゃ、どういったメッセージを広告やダイレクトメールで書けばいいのか？

これは、トップセールスマンの言っていることを聞くのが一番早い。

優秀なセールスマンがお客の前で行っているのは、教科書的な商品説明じゃない。何をやっているかというと、『フーテンの寅さん』。まずお客との共感を得る。そして、「手前生国と発しますところ」と始まる。

このように、トップセールスマンが話す内容を文章で再現する。これが極めて効果的。

なぜ効果的なのかっていうと、**擬似体験**が生まれるからだ。お客を目の前にして話す内容が、そのまま文章で伝わることによって、「営業マンと会っている」「あなたと話している」という擬似体験が、お客の側に起きる。

すると、お客が、初めて営業マンと会うときでも、スムーズ。心の壁が低くなる。なぜならば一度会っているような気がするからね。

「文章だけで、会っているような気がするわけないじゃない？」

そう疑問に思うかも知れない。

でもね、すでに、私のことを知っているような気にならない？　あなたと私が、初めて会っても、スムーズに話ができるんじゃない？

これが擬似体験。会わないうちから、知り合いのような気がする。

通常の営業マンは、こういった疑似体験をもたないまま、いきなりお客と接触してしまう。すると、お客は、営業マンが口を開いた瞬間から、売り込みプレッシャーを感じる。できるだけ早く営業マンを追い返そうとする。

ものを買うときは、相手を信頼しない限り買わない。欲しい商品でも、営業マンの対応があまりにも悪かったら、買わないで帰るでしょう?

お客へのメッセージは、教科書的でないことが重要。友達に手紙を書いているように書く。話し言葉で書く。するとお客のほうから、親近感をもってくれる。

よくある間違い その❸

小手先だけを真似する。

前作『あなたの会社が90日で儲かる!』で、「新聞で広告を出したとき、縦書きのほうが、横書きより反応が良かった」という話をした。

すると、何がなんでも縦書きにすれば、反応が良くなると単純に発想する人が出てくる。そして、やってみて反応が悪いと、「どうしてなんでしょう？」となる。

でもね、私は、縦書きが、常に反応いいって言っているわけじゃない。新聞は、記事を読むために買うもの。広告を見るためじゃない。パッと見て、広告だと分かると、飛ばしてしまうでしょ。だから縦書きにして、記事風にすると反応が良くなる可能性が高い、と言っている。

それから、私が「ピンクのダイレクトメールを出した」というと、みんなピンクのチラシやダイレクトメールを作ってしまう。

これも同じ間違い。「縦書きvs横書き」だとか「ピンクの色を使う」っていうのは、小手先の話。

セミナーで、よくこんな質問を受ける。

「神田さん、結局、チラシは何色が、一番反応いいんですか？」

私が「ピンクですよ」と言えば、その人はピンクのチラシを作るだろう。ところが、毎回ピンクがいいかっていうと、そんなことはない。

なぜならば、その地区で配られたチラシがみんなピンクだったら、意味が無い。埋もれるだけでしょう。

プロは何をやるかというと、まず新聞に折り込まれている、チラシの束をもってくる。そして、そこにどんな色のチラシを入れたら、目立って、手に取ってくれるかを考える。

ダイレクトメールでもまったく同じ。「結局、何色の封筒がいいんでしょうか」という質問がある。その場合も、ターゲットとなるお客に届く他社のダイレクトメールを、がさっと集める。そこに何色の、どの大きさの封筒を入れたら、目立って手に取ってくれるのかを考える。

つまり、小手先の技術として考えるのではない。状況を把握することが重要。

小手先の技術は、真似したくなる。でも表面だけ真似すると、失敗する可能性が高い。

なぜなら、お客は非常に第六感が敏感だから。第六感が働いて、「こいつから金をかすめ取られるんじゃないか」と自己防衛本能が強くなる。

どんな場合に、第六感が働くかというと、「首尾一貫してない」場合。

一貫性がないと分かった途端、お客は、「うさんくさい」と感じる。要するに、他人の文章の切り貼りをやった場合、一貫性が崩れやすい。

これは通常の人間関係でも、同じでしょう？　例えば、飲み屋の席で、「この人、何か偉そうに話しているけど、受け売りじゃないの？」と感じる。途端にその人の評価は下がる。女の子も去っていく。

つまり自分の言葉でしゃべらない限り、女の子にもモテないし、尊敬されることもない。

同じように、広告でもダイレクトメールでもセールストークでも、きちっと理解した上で、自分の言葉で書き直さないとダメ。

技術を学ぶのはいいんだけど、それよりも重要なのは、「いったい、何をお客が考えているか」を想像する。

お客は何を求めているのか？　お客に何を言ったらいいのか。

それについて首尾一貫性を保っていかないと、お客から、「底が浅そうね」と見透かされる。

以前あった話なんだけど、他社の広告を非常にうまく真似した人がいた。まさに著作権侵害なんだけど、お構いなし。その結果、広告でお客は集まったけれども、残念ながら一人も成約しない。

それで文句を言っていた。「こんなやり方、ウソばっかりだ」と。

ところが、それは大きな間違い。

なぜなら、広告は他社のパクリ。だから他社の誠実で信頼性のあるトーンでまとまっている。でもねぇ、いきなり出てきた社長が**パンチパーマのひねくれ社長**。これじゃぁお客は、あわてて逃げるって。

チラシで書いた内容と、実際、会社に行ったときのギャップが問題。そのギャップにがっかりすればするほど、広告効果っていうのは、マイナスに働く。なぜなら急速に、悪評が広まるからね。

だから、「うまくいった会社のチラシやダイレクトメールを、そのまま真似ればいいんだ」ということではない。これをやっちゃ、そもそもパクリ。お客は、第六感で、あなたの不誠実なところを見抜く。

頭に汗かきましょう！　その努力の結果、思いどおりにお客が動いたとき。それが快感なんだから。

よくある間違い　その❹
設計図が、お客の感情とずれている。

営業の設計図がなぜ必要かというと、二つの罪を避けるためネ。

その罪は何かっていうと……

①相手が欲しくないときに、売り込みをすること。

②相手が欲しいときに、売り込みをしないこと。

この二つ。

典型的な営業の失敗は、相手の都合を考えないで、「とにかく説得して、売れ」っていうことだった。それが必要以上に、不買心理を高めていたわけだよね。そこで、段階営業をしなければならないと気付く。

すると、今度は、②の間違いを犯す人がでてくる。

化粧品で、「2ステップ広告にしたら、売り上げが一〇倍に上がったよ」という例があった。じゃあなんでもかんでも2ステップにすればいいかというと、そうじゃない。

「お客の感情に沿った階段を作りましょう」と言ってるんであって、階段を多くすればいいのではない。

デパートに買い物に行くことを想像してほしい。

そのとき、売り場の入り口で、「いらっしゃいませ」って言われたとするでしょう？

新入社員が入社すると、お客様に失礼がないようにと「いらっしゃいませ」を教え込まれるらしい。だけど、お客にとって、売り場に入ったとたんに、「いらっしゃいませ」と言われるのは、**ライオンが檻から飛び出してくる**ようなもん。

そりゃ、お客は、逃げ出すでしょう。

実は、「いらっしゃいませ」と言うのには、タイミングがある。小売店で、セールスがうまいところでは、「お買い上げありがとうございます」というタイミングで、「いらっしゃいませ」と言う。つまり、買うことがほぼ決まっているときに、アプローチするわけ。

そこで、店員が①の罪に、気付いたとする。「あっ、そうか、強引にしちゃいけないんだ」「いらっしゃいませって言わないほうがいいんだ」と。

その結果、今度は、②の罪を犯す。買う気になったときに「いらっしゃいませ」と声かけをしない。するとお客は「ここは顧客サービスが悪いから、他の店に行こう」ということになる。

同じ罪を、営業マンも犯す。「営業マンは、お客に嫌われている。だから、営業マンからはお客に電話してはいけない」とか「何がなんでもお客から電話がかかってくるようにしなくちゃいけない」と思い込んでしまう。そして「強引な営業はしないから、あなたのほうから連絡してね」と、反応のあった客も放っておく。

営業マンは、お客からの連絡を待っている。でも、待てども待てども電話は鳴らない。結局そこで「もう一回ダイレクトメールを出してみようか」とか考えるわけだ。

しかし、これでは、あまりにも紳士的。数多くのライバルが、そのお客にがんがん営業攻勢をしているわけだ。にもかかわらず、あなたは、せっかく「あなたの会社に興味あるわ」と言ってくれた人を放っておいている。

非常に下司なたとえで恐縮だけど、これは、女の子がわざわざ自分のアパートにあなたを呼んでくれた、にもかかわらず、あなたは部屋でとうとう**恋愛論を語る**、というようなもの。

重要なのは、「距離をおいて、紳士的に振る舞いなさい」ということじゃない。「お客の感情に沿った、階段を考えましょう」ということ。一度、手を挙げてもらったときには、すでに相手は、「あなたに興味があるわ」と言っているわけ。二度、三度と、繰り返し手を挙げてもらう必要はない。

やるときゃ、やる。それがセールスの極意。

よくある間違い　その❺

反応率で成否を即断してしまう。

ダイレクトメールを出した後、社長の反応を見ると、二つのタイプがいる。タイプ1とタイプ2だ。

タイプ1の社長「神田さん、ダイレクトメール出したんだけど、反応がありません。どうしてダメなんでしょう?」

私「反応がないというのは、どのぐらいだったんですか?」

タイプ1の社長「一〇〇〇通送ったんですけど一〇件しかありません。散々です」

同じ商品を販売していても、タイプ2の社長は、次のように、反応する。

タイプ2の社長「神田さん、大成功しました」

私「どのぐらい成功したんですか?」

タイプ2の社長「一〇〇〇通ダイレクトメール送って、一〇件反応がありました」

どっちの会社が成功するかというと、当然、タイプ2の社長。

失敗する社長は、パーセンテージで成否を判断する。ダイレクトメールにしても、一%という反応率にこだわる。「普通は、二〜三%得られるんじゃないでしょうか？　大失敗です！」となる。

新聞・雑誌の広告でも、このように反応する。

「この雑誌の発行部数は二〇万部。その〇・一%が反応したとして、二〇〇人が反応してきていいはずだ。反応してこないのはどうしてでしょう？」

そもそも、新聞、雑誌の発行部数というもの自体が、まったくあてにならない。発行部数は、読まれているかどうかは関係ないし、しかも読者が情熱をもって読んでいるかどうかという感情レベルの強さも分からない。だから「発行部数の数%が反応したとして……」というのは、獲らぬ狸の皮算用。それに一喜一憂することはムダ。

一方、成功する社長は、投資対費用効果で成否を判断する。

ダイレクトメール一〇〇〇通で一〇件の反応。ということは、一通一五〇円かかったとして、一五万円の経費。それで一〇件の反応だから、一人のお客を一万五〇〇〇円で獲得。

「へぇ～、一万五〇〇〇円もかけたのに、たった一人かよ？」

そう思われるかもしれない。

ただ、計算してみると、一万五〇〇〇円で獲得したお客からリピート購買がある。その結果、平均五万円の粗利が、一年以内に得られる。

「ということは、一万五〇〇〇円をお客に貯金すれば、年末には五万円になって返ってくるってことですよね」

そう。一〇通返信があったのだから、年末には五〇万円になっている。

だったら、このダイレクトメールを、一万通出したら、どうなる？

一〇倍だから、五〇〇万円。一〇万通出したら？　そのさらに一〇倍ということだ。

私だったら、親戚すべて集めて、**封筒詰めと切手貼りを狂ったようにやりますわ。**

反応率は、目安の数字としてはいい。しかし、そこで思考をストップするのはダメ。いいところまで来ているのに、その意味が分からない。だから、もう一歩で、仕組みが築けない。

こんなもったいない失敗をしている社長が、結構、多いんだよねぇ……。

◎あなたと取引をしなけりゃバカ、と言われる方法

私「どう、どんなところで間違うか、分かってきた？」
あなた「う〜ん、神田さん、正直、余計分からなくなってきましたよ。初めは、なんか言葉を変えただけで、反応が上がるっていうんで、飛びついたんですけど、そ

の言葉の選択や、設計図を作る段階で、お客さんの思考を読むっていうことが大事だったんですね。小手先だけ真似してもダメってことですよね」

私「まったくダメってわけでもない。前にも言ったけど、『縦書きと横書きの広告じゃ、縦書きの方が反応がいい』っていう話もあったでしょ。そういう小手先だけで、反応が上がるケースも多いんだよ。でもね、残念ながら、それをやって効果の出ない人っていうのも出てくる。ただその場合、効果が出ない原因を考えてみると、そもそもお客さんの感情とまったく異なることやっちゃっている場合が多いんだ」

あなた「そして、感情を読むためのひとつの方法として、ニーズ・ウォンツ分析法のようなチャートの利用があるわけか」

私「ひとつの方法というより、チェックするために便利なツール。客観的に、お客の思考のなかで、自分の商品の切り口が、どこに位置付けられているか、確認できるからね」

あなた「それで、右上のボックスの中に、入っていなければ、それを上へ引っ張ろうと、もう一度考えてみればいいわけか?」

私「そう。でもね、もちろん右上に行けばいいんだけど、それが無理な場合もあるよね。それは、差し迫った必要性が高ければ売れるし、また抑えきれない欲求が高ければ、それも買う。ただ、多くの会社の場合は、この頭に、ほんのちょっとの汗をかくっていう努力をしない。何をやっているかというと、他社と同じ商品を、他社と同じように、他社と同じ価格で販売しようとしている。これじゃ、お客から見て、『なんで、おたくの商品を買わなきゃいけないの？』ということになる」

あなた「つまり差別化できていないと」

私「いや、差別化だけでは不十分。差別化したら、お客が集まるっていう原則はないからね。その差別化が、ニーズ・ウォンツで分析して、魅力的だった場合に、お客は反応するわけじゃない。ただ単に差別化ということじゃない。**あなたと取引しないのはバカ**と思わせるぐらいの、**圧倒的な魅力**を出すんだよ」

あなた「圧倒的かぁ……。圧倒的になるために、ニーズ・ウォンツ分析を使って、できるだけ客観的に、自分は、どこに位置付けられているのかを考えるわけだな」

私「そのとおり！　昔は、どんぐりの背比べでも売れたんだけどね、成熟経済になっちゃったら、中途半端にやっても売れないのよ。圧倒的じゃないとね」

マーケティングレッスン

問題　あなたの商品は、現在どこに
位置づけられていると思いますか。
また、それをどのように変更し
たらいいでしょうか。
下の図を使って説明しなさい。
（答えはあなた次第です）

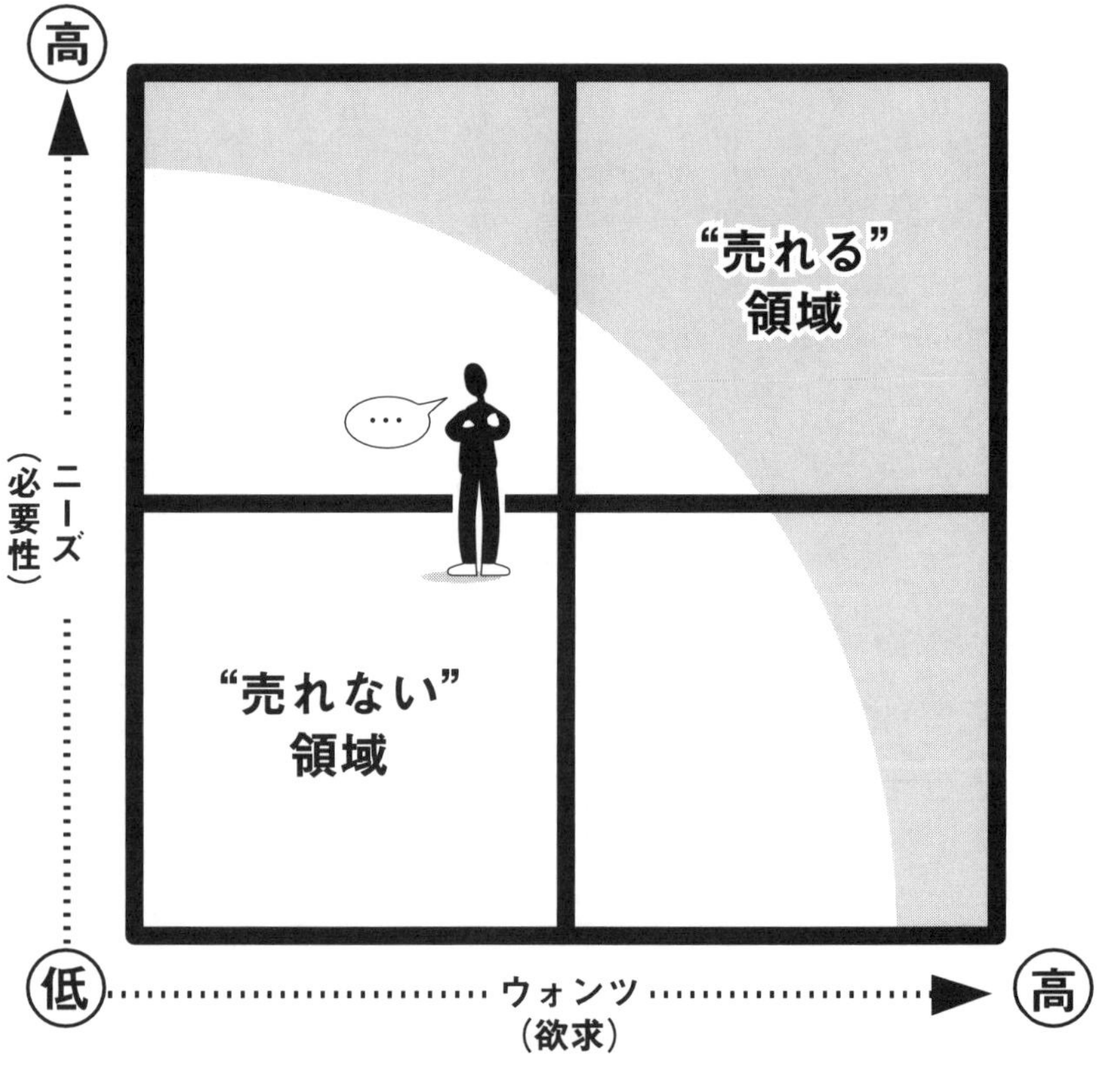

☞ヒント・ニーズもウォンツもないと思われる商品でも、お客や購買する状況を絞り込むと、ニーズ・ウォンツを引き上げることができる。

90 Days

第5章

感情マーケティングで、お客をトリコにする

◎なぜ言葉の選択で、反応が変わるのか？

あなた「お客の感情を味方につけるってことで、感情マーケティングを展開するでしょう。例えば、広告で、お客の心の留め金を外す言葉を使うとかね。一方的に商品をがなりたてるだけじゃなくて、お客の感情を考えてあげる。すると反応は、飛躍的にアップすると。それが感情マーケティングですよね」

私「そう、言葉って、びっくりするほど、影響力があるんだ。言葉の選択次第で、ビジネスが成功するかどうかが決まることもあるほど」

あなた「どうして、そんなに影響力があるんですかね」

私「う～ん、哲学的な話になっちゃうけど、そもそも人間の行動の源泉になっているのが思考でしょ。思考っていうのは、言葉で行われている」

あなた「そうですよね、考えること自体が、言葉で行われている。でも、それがどう関係あるんですか？」

私「つまり言葉↓思考↓行動っていう流れになっている。マーケッターの役割としては、行動を変えたいわけだよね。広告に反応する行動を起こしたい。すると、行動を変えるには、まず思考を変えないといけないわけじゃない？」

あなた「だけど、他人の思考を変えるってことはできないですよね」

私「そう、直接的にはね。でも思考のベースになっている言葉を、新しい言葉に置き換えることはできるんだよ」

あなた「『経費を削減しませんか？』を『まだ損をしますか？』ということに置き換えると、思考のベースになっている言葉が変わる。そこで別の思考が起こる。そういうわけ？」

私「そう。ただね、問題は、人は、どういう場合に、思考のベースになっている言葉を変えるか、だよね。「現状の世界」＝「広告によって表現される世界」だったら、バランスがとれちゃっているわけだから、言葉を置き換えることはできない。そこで、わざとバランスを崩す工夫をしなくちゃならない」

あなた「う～ん。とすると、『経費を削減しませんか？』というコピーは、どこでも言っていることだから、「現状の世界」＝「広告によって表現される世界」。つまりバランスがとれているから、何も起こらない。でも『まだ損をしていますか』ということであれば、現状の世界が否定される。だから「現状の世界」≠「広告によって表現される世界」になる。そうやってバランスを崩すわけですね」

私「そのギャップが起きて、言葉が置き換わる。別の思考が起こる。これが『気付き』ってやつだよね。そして、初めて行動へのエネルギーが生まれる」

あなた「聖書でしたっけ、『初めに言葉ありき』っていうのは。私、ずっとどういう意味なのか分からなかったけど、関係あるかもしれませんね」

◎お客の感情をベースに、ビジネスを再構築する

あなた「しかし、感情マーケティングっていうのは、単に広告の反応を上げるだけじゃなくて、いろんな分野に応用できそうですね」

私「そうだよ。実際に、感情ってことを理解すればするほど、応用範囲が広くなる。例えば、企業戦略や事業戦略は、いままで、市場環境・競合状況で分析してきたで

感情マーケティングの体系

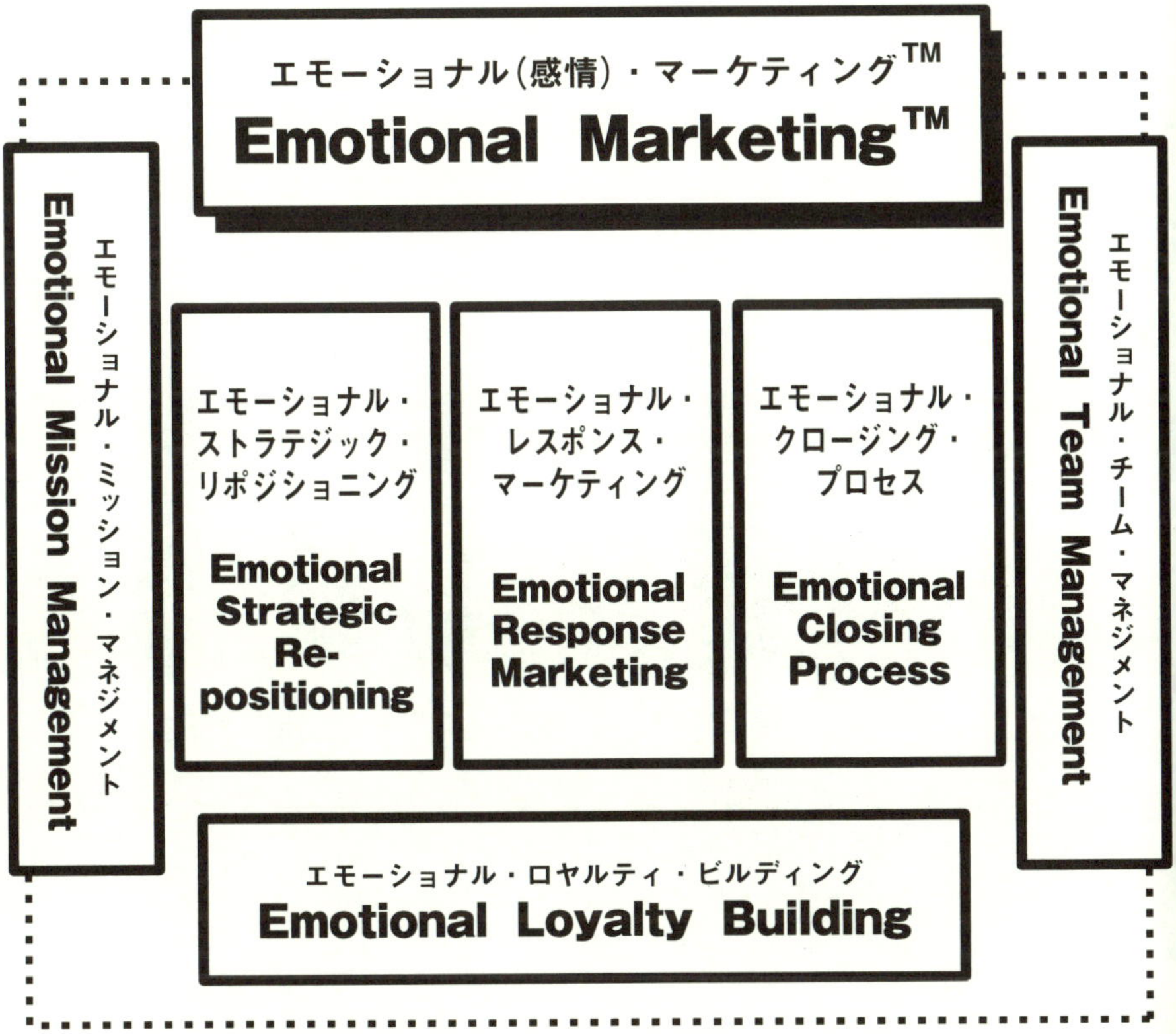

ひとの感情をベースにビジネスを再構築する
それが感情マーケティング。

しょ。しかし、最終的に企業にキャッシュフローをもたらすのは人間。だから人間の感情からみて、魅力的な企業にしなけりゃならない。そう考えると、感情という切り口を使うことによって、まったく新しい視点で戦略を組み直すことができる」

あなた「ということは、『会社で働く社員も、人間。だから、その感情を考えることによって、人も活性化できる』ってことですか？」

私「うん、実は、お客の感情を刺激すると、お客も社員に感謝しはじめる。すると、社員の活性化も起こりはじめる。社員のモチベーションをアップするのは、何よりも、会社のファンになってくれるお客が増えることだからね」

あなた「そうそう、会社のファンになってくれるっていうことで思い出したけど、感情マーケティングっていうのは、顧客を固定化することにも応用できるのかな」

私「顧客の固定化っていうことは、一度、既存客になったお客さんに、何回もリピート購買してもらいたいってことだよね」

あなた「そう。新規顧客が増えるのはいいんだけど、実際、前の本にも書かれていたように、新規顧客の獲得コストっていうのは、既存客に買ってもらうコストの六倍～一二倍以上じゃないですか？　それだけ高いお金を投資して獲得したお客でしょ。すると、その投資を回収するためには、お客を流出させないようにしなきゃならない」

私「それで固定客化ということに、関心があるんだね。でも、いいところに気が付いたね。確かに、お客を、あなたの会社のファンにする、とりこにするっていうのも、感情マーケティングの応用範囲なんだよね」

あなた「どうやって応用するんですか？」

私「それには、二つの方法があるんだよ。その方法を使うと、九〇日もかからない。三〇日間で売り上げがアップできるんだよね。どう？　聞きたい？」

あなた「そんなにじらさないでくださいよ！」

◎お客をトリコにするには、顧客満足だけじゃ不十分

顧客ロイヤルティをどうやって高めるか？

私がサラリーマンだったころ、勤務先の家電メーカーがこの課題に取り組んでいた。

顧客ロイヤルティ？

ロイヤルティとは、忠誠心のこと。つまり顧客が、会社に対して忠誠心をもつかどうかということである。

なぜこんなことが問題になっていたのか？

実は、そのころ顧客満足（CS ＝ Customer Satisfaction）というコンセプトが注目されていた。顧客満足度を上げれば、お客は流出しないと言われていたからね。

しかし、このメーカーでは、顧客満足度を調査したら、大変な結果が出ちゃった。洗濯機、冷蔵庫等の耐久消費材を製造していたメーカーだったんだけど、お客さんに満足度調査をやると、アンケートで「製品に大変満足」っていう答えが九〇％以上。つまり品質面では、他社を凌ぐ、非常にいい数字が出ていたわけ。

でも、喜ぶのはまだ早かった。

たしかに、お客は満足している。でも数年後に買い換えるとき、約三割程度のお客しか、同じブランドを買ってくれない。つまり、製品に満足していても、他社ブランドにスイッチしていることが分かった。

そこで、問題意識が起こった。顧客満足と、顧客の定着率（ロイヤルティ）は一致しないと。

それじゃ、いったい、顧客ロイヤルティを高めるのは、どうすりゃいいの？

そこで顧客ロイヤルティを高める二つのプログラムを紹介しよう。ひとつは、「一二一日間顧客感動プログラム™」、そしてもうひとつは、「生涯顧客教育カリキュラム™」というものだ。

お客を定着させるっていうのも、感情をベースに考えていくと、効果的にアプローチできるんだよね。お客の感情を味方につけると、急速にお客をあなたの会社のファンにできる。

ある健康食品の販売会社は、新規顧客の初回購入日より三〇日以内に、再購入する率が一五％から八五％になった。また、後に紹介する通信販売会社は、新規顧客が初回購入日より三〇日以内に、再購入する平均回数が一・一二回から一・八六回に増えている。簡単に言ってしまえば、導入すれば、三〇日以内に売り上げがあがる。それが実証されている方法があるっていうこと。

「またぁ、そんな方法ありゃ、苦労しないよ」

あなたはそう思うかもしれないけれど、騙されたと思って、読んでほしい。

私だって、「こんな当たり前のことを、なんで言わなくちゃならんの」と疑問に思っているぐらい。

簡単だけど、効果がある。コロンブスの卵みたいな方法。

◎顧客流出の現状

まず顧客の流出がどれだけ起こっているか？

これは、実際、数字を見るのが恐ろしいほど。

流通に詳しいワクワク系マーケティングの小阪裕司先生によるとね、ある小売店における顧客の流出、つまり、一度来たお客が戻ってくる比率は五〇％を切る。そして二度購入した客が、三度目を購入する比率は、その三〇～五〇％となる。別に、どうしようもない小売店じゃないよ。非常に優秀な小売店でもこのレベルだという。

つまり、ほとんどの客は、消えてなくなる!!

ザルだよ、ザル！　お客がどんどん流出してる。

いままでこういう数字は、あまり注目されてこなかった。でも計測してみると、青くなる経営者が続出する。いままでは、その日の売り上げだけを注目していた。だから新規客がいくら買って、リピート客がいくら買ったという数字は見えなかった。お客を個別に認識していなかったから、購買履歴を時系列に見られなかった。・・

新規客もリピート客も、同じどんぶりの中に入れられていたわけね。

これは法人営業だって同じ。新規法人と契約して、せっかく取引口座を設けたとしても、急速に注文が入らなくなる。いままでは、営業マンまかせになっていた。つまり、営業マンが取引先を回って人間関係を構築する。御用聞きで、注文をもらってくるパターン。

でも営業の効率化のために、一人の営業マンが、かかえきれないぐらいの口座をもつようになってきた。すると、御用聞きのために取引先を回っている時間がない。その結果、注文が続かない。取引先がどんどん流出するという問題点に直面する。

◎ポイントカードの限界

顧客流出の防止として注目されたのが、ワン・トゥ・ワン・マーケティングっていうやつ。その具体的な実践法として、いろんな会社でポイントカードの導入が相次いでいるよね。

でも、ポイントカードだけじゃ、顧客ロイヤルティは引き上げられない。もちろん、ないよりはあったほうがいいんだよ。しかし、その使い方を間違うことが、非常に多いのが現状。

ある量販店から、こんな話を聞いた。

ポイントカードを発行している。顧客の定着化のためにやっているわけじゃない。実は、ライバル店がみんなポイントカードをやっているからだという。しかもライバル店が目玉キャンペーンをやると、自分のお客が取られる。そこで、ダブルポイントデーを開催する。そしてできるだけ自分のお客が取られないようにする。

結局、「他社もやっているから」とか「他社の安値に負けないように、ダブルポイントデーにする」という守りの手段として、ポイントカードが使われてしまっている。

ポイントカードの世界では、ポイントがいい店に、お客が流れる。

結局、これって、価格競争と同じ。

まぁ、やらないよりは、いいよね。

でも、それでお客が、あなたのファンになると思う？　とりこになると思う？

◎それじゃいったい、顧客ロイヤルティとは？

顧客ロイヤルティは、こんな方程式で考えると分かりやすい。

顧客ロイヤルティ　＝　①商品・サービス品質に対する満足　×　②ライバルとの比較優位性　×　③あなたの会社に思いを寄せる時間

というわけなんですわ。

①と②は、分かるよね。まず前提条件として、商品・サービスに満足してもらわないと、お客は定着しない。さらに、あなたの会社に満足していても、ライバル会社がもっと魅力的な提案をしてきたら、お客は定着しない。

問題は③です。

いったい、**あなたの会社に思いを寄せる時間**とは？

これを理解するために、まず顧客ロイヤルティが、購入後にどうやって推移するかを考えるといい。

顧客ロイヤルティは、購入した瞬間が一番高い。

例えば、あなたが車を買ったときのことを思い出してみてほしい。購入したときが、一番満足度が高いんじゃないかな？　購入時は、最も賢い買い物をしたと信じている。担当の営業マンを信頼しているし、また購入店も信頼しているよね。だからこそ、財布を開いたんだからね。

ところがその車を買ったとたんに、後悔も始まる。これをマーケティング用語で、「バイヤーズリモース（Buyer,s remourse）」って言われている。**購入後の後悔**っていう意味。

この後悔は、どんな商品にも必ず起こる。「私の購買決定は正しかったのかしら」、「騙されたんじゃないかしら」という後悔。

買ったときは、嬉しい。だけどその後は、もう自動車雑誌の広告は怖くて見ることできないでしょう？「もっと安く買えたんじゃないか」なんて思っちゃうからね。

たいていの会社は、お客に購入後の後悔が起きはじめたと思うと、お客には電話しない。「難しいことといわれる」と思うからね。

一方、お客のほうは、会社に対しての不信感が募ってくる。「せっかく買ってあげたのに、あの営業マンは挨拶のひとつも無いわ」と感じる。これでさらに顧客ロイヤルティが下がる。

要するに、お客が購入を決心して、お財布を開いた瞬間が、一番顧客ロイヤルティが高い。そこから急激に落ちはじめる。

これをさっきの方程式に当てはめてみる。

お客があなたの会社に思いを寄せる時間は、どう変化するのか？

購入後の時間と
顧客ロイヤルティの関連

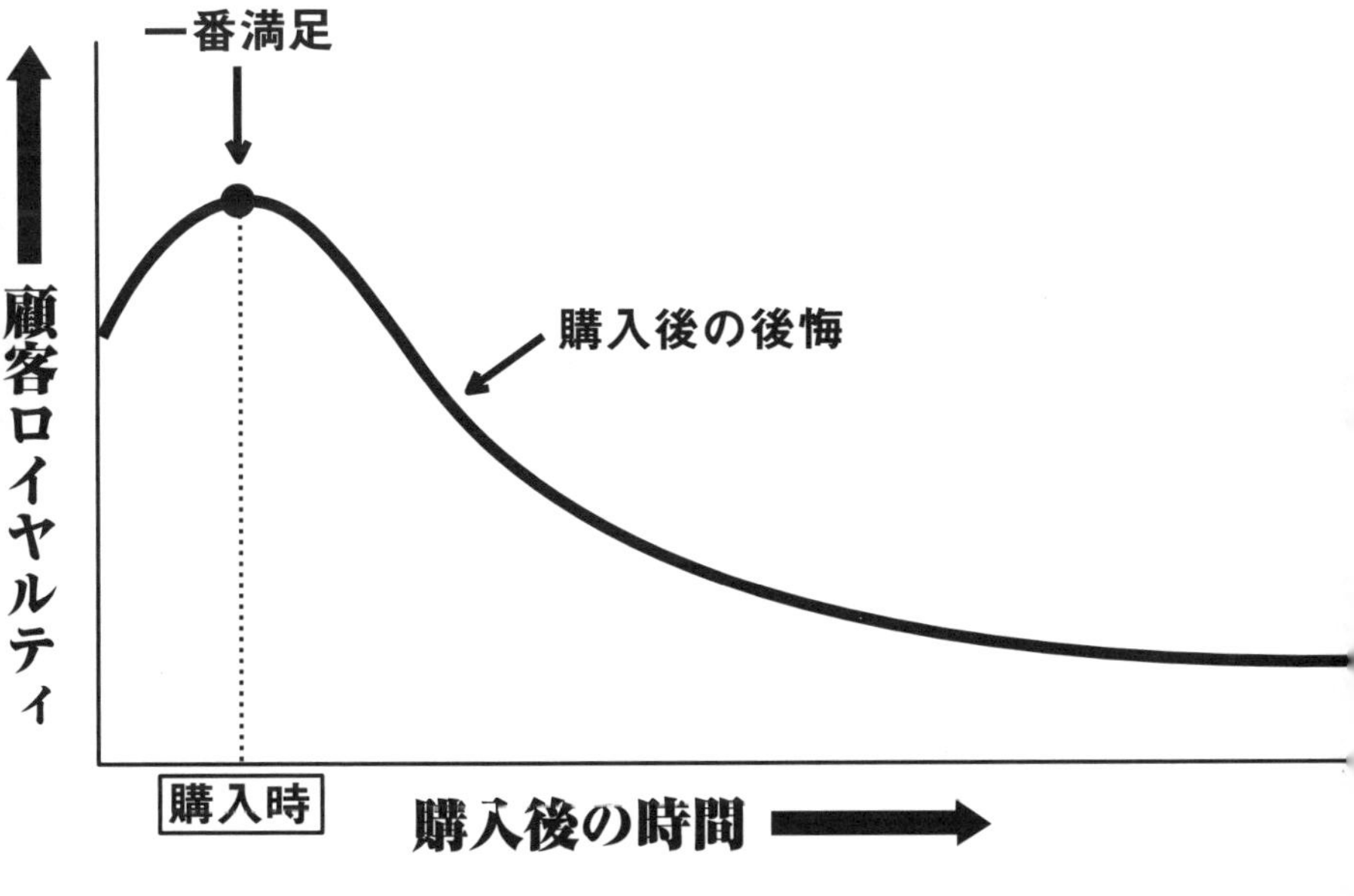

購入直後は、購入した会社や商品について考える時間は多いよね。ところが、どんなに素晴らしい商品を買ったとしても、ウキウキする時間は、長くもっても三週間。人の興味は、三週間までは持続するけど、その後は、習慣になりやすい。どんなにいい車、例えば、ポルシェなんかを買ったとしても、三週間後には、日常に戻ってしまう。

このように、購入後三週間で、急速に、あなたに思いを寄せる時間が短くなるわけ。

ここで、先ほどの方程式をもう一度見ると、すべての①②③の要素が掛け算になっている。掛け算だから、①と②がどんなに優れたものでも、③のあなたに思いを寄せる時間が短くなると、ドーンと顧客ロイヤルティは下がってしまう。

がけを転がり落ちるように、愛着（ロイヤルティ）が落ちるわけだから、そのお客は必ずしもリピート購買をしなくなってしまう。

◎あなたに思いを寄せる時間を延ばす方法

あなた「なるほどな。ポイントカードをもっていたからといって、特にその会社に愛着が湧くわけではないしな」

私「ポイントカードっていうのは、結局は、値引きと同様、経済的なメリットをお客に与えるものでしょ。すると安売りと同様、消耗戦に突入する」

あなた「あぁ、そうか、結局は、安売りと同じなんじゃない。ライバルが特売したら、ダブルポイントデーじゃ、それじゃ、愛着は湧かないよな」

私「そう、一言でいえば、経済的なメリットだけじゃ、浮気されちゃうんだよ。感情的な結びつきを強めなくちゃね」

あなた「ふふふ。なんか、浮気されちゃうなんて、男と女の関係みたいですね」

私「それはいいポイントだよ。実は、顧客ロイヤルティの低下を防ぐために、簡単にできる方法があるんだよ。男女関係にたとえて説明するのは面白いな。ちょっと質問したいんだけど、いいかな」

あなた「どうぞ」

私「想像してみて欲しい。あなたが、ずっとスキだった女の子を食事に誘った。今夜が第一回目のデートだ。食事をした。とても楽しかった。彼女も楽しそうだった。さて、この初デートで彼女と別れた後、あなただったら、何をする？」

あなた「う〜ん、電話するな」

私「そう、電話だよね。いつする？」

あなた「その日の晩かな」

私「そうだよね。それで電話では、何を話すの？」

あなた「えーと、とりあえず、『今日はありがとう、楽しかった』と伝える」

私「どうして、その日の晩に、お礼の電話をするんだろう？」

あなた「それは、印象を良くして、忘れられないためだな」

私「その日の電話で、伝えることは、お礼だけ？」

あなた「う〜ん、次のデートの約束をする」
私「次のデートは、いつごろするの？」
あなた「えっと、一週間以内にしたい」
私「なぜ二ヶ月後じゃないの？」
あなた「だって二ヶ月後だったら、他の男に取られちゃうかも知れないでしょ…って、なんだかこれじゃ、恋愛モノの本みたいだぞ。ビジネス書じゃないみたいだな」
私「はっはっは。でもさ、お客さんとの関係って、恋愛みたいなもんじゃゃない？人間関係にたとえると、彼女に忘れられないために、できる工夫が簡単に分かるじゃない。それはお客さんに忘れられないためにすることと、ほとんど同じなんだよ」
あなた「あぁ、そうか、だんだん分かってきたぞ」
私「それじゃ、最後に、彼女の気持ちをぐっと確かなものにしたいときには、どうする？」
あなた「う〜ん。彼女が喜ぶものをプレゼントするな」

私「そのプレゼントは、どうやって渡すかな」

あなた「びっくりさせる」

私「なんで？」

あなた「そのほうが喜びが大きいからだと思うよ」

私「よ～く分かってんじゃない。いままでのことをビジネスに応用すると、急速に顧客ロイヤルティが高まるんだよ」

いまの会話をビジネスに当てはめてみると、次のようになる。

① 新規顧客が獲得できたら、できるだけ早いうちにお礼状を出す。このお礼状というのは、できれば手書きが効果的。

⇐

② 購買日より一週間後に、もう一度、手紙を送る。この手紙の内容は、「あなたの購買決定がいかに正しかったか」を確認するもの。目的は、購入後の後悔によって、急速に落ちるロイヤルティを、維持することにある。

⇓
③最後に、お客との関係を確固たるものにしていくために、思いがけないギフトを贈る。この場合、高価なものを贈ると、かえって逆効果。安価で、思いやりのあるギフトを贈る。

お客さんと以上のコミュニケーションをとっていく際の注意はなにか？

それは、タイミング。

新規顧客になった時点から、二一日間に、①～③のコミュニケーションをとる。二一日間に三回のコミュニケーション。これを「二一日間顧客感動プログラム」という。


なんで二一日間の間に三回か。二一日同じことを繰り返すと、人間はどんなことでも習慣化するというデータがある。逆に考えれば、二一日間を超えると、どんなことでも日常化してしまうということである。そこで、二一日経つ前に、一気に人間関係を築いてしまおう、というのが、この試みである。

二一日間顧客感動プログラムを実施後の顧客ロイヤルティは次頁のようになる。

◎実際にやってみると、どんな効果が出るか？

では、二一日間顧客感動プログラムは、具体的にどう進めていけばいいのかについて、事例を紹介しよう。

紀州の備長炭関連の通信販売を行っている、株式会社ヤマモト・炭倶楽部という会社がある。炭を使った健康商品、スキンケア商品を販売。アトピーに悩む方が、お客には多い。

この会社の悩みは（薬ではなく、あくまでもスキンケア商品だから「治る」とは薬事法の関係で言えないが、）ズバリ「肌の状態が改善してしまう」ということだった。

「そんなにいい商品だったら、お客がたくさん集まるでしょう？」

21日間感動プログラム導入による顧客ロイヤルティの変化

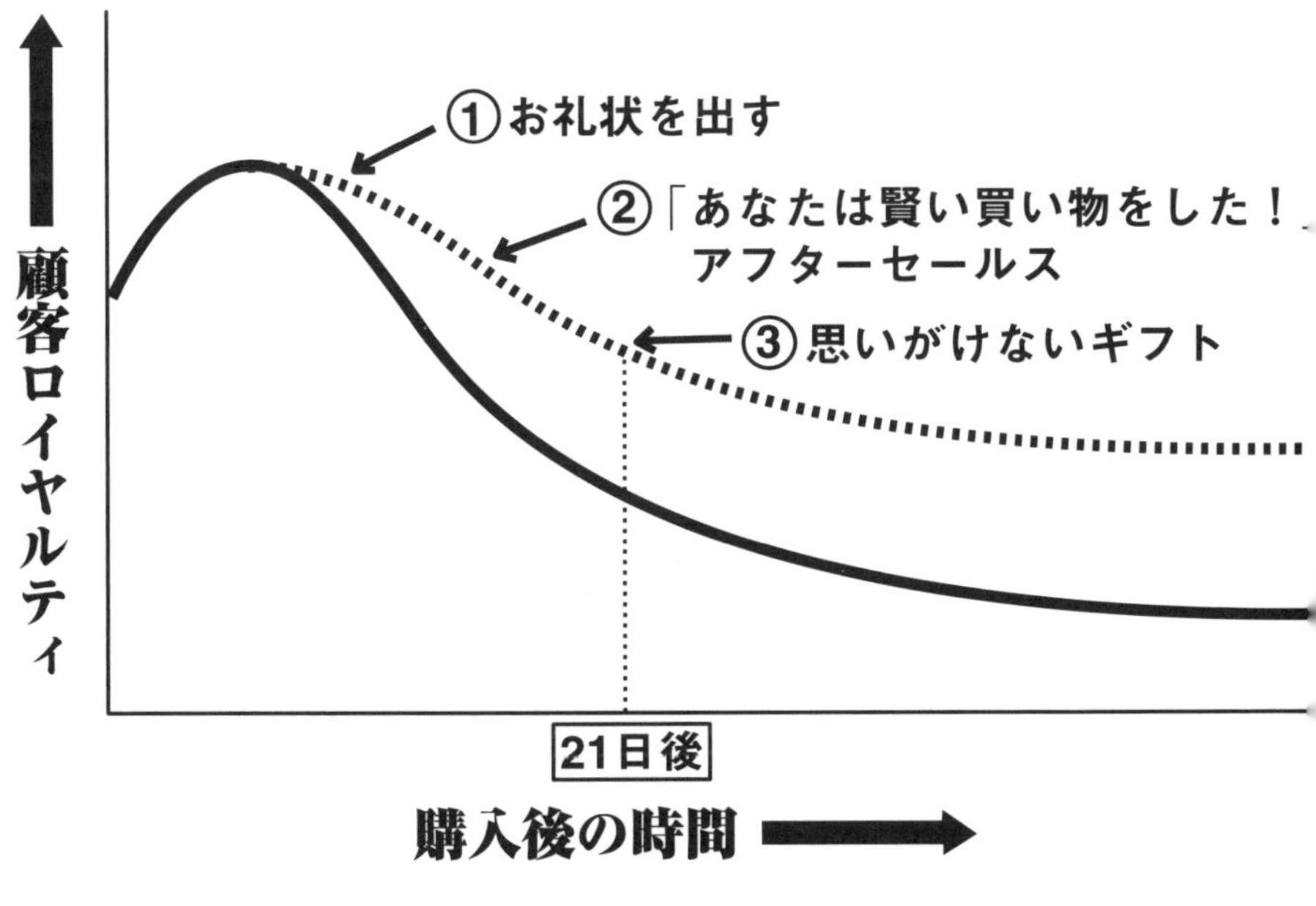

そう思われる。しかし、短期間で改善してしまう人が多いため、その後は、リピート購買しない。
その結果、お客が流出。つまり商品が良ければ良いほどお客がいなくなるというパラドックスが発生していた。

そこで、この会社がやり始めたのが、二一日間顧客感動プログラム。
当初、この会社の山本隆雄社長も、「こんなことやってなんの意味があるのか」と思った。アトピーのお客さんというのは、シリアスな悩みの方が多いからね。絶対茶化しちゃいけない。本当にこんな売り方でいいのかって。なかなかスタートできなかったのが、現実。でも、できるところから、一歩一歩進めていった。

この会社は何をやったのか？　社長の言葉をそのまま紹介しよう。

① 新規顧客を獲得後、三日後に「炭倶楽部手帳」と「こころを落ち着かせる炭」

をセットにして送る。ここでお客さんは、何やら楽しげな事をしているんだなということに気づきます。
②それから七日後に思いがけないプレゼントその1（月のしずくと木酢液、非売品）を送ります。ここで弊社のワクワク因子とお客さんのワクワク因子が共鳴すると、お願いする前にお客さんから楽しいアンケートとなって返ってきます。
③さらにその一〇日後、思いがけないプレゼントその2（備長炭こつぶ、非売品）を送ります。その中にはお客様アンケートもお願いします。そうすると**年齢に関係なくアンケートやお礼の電話が**かかってきます。（電話のほうが多い）

それが三週間、三回のプログラムが終わった後で計測すると、新規顧客の三〇日以内の再購入率が、導入前一・四七回から導入後一・八六回へ上昇した。六〇日以内の再購入率が、導入前一・八六回から導入後二・一七回へ上昇している。

◎経済的対価の追求から、お客との人間関係の重視へ

このような結果が出る理由は、次のとおりだ。

1. 以前は「アトピーの治療薬」を買っていただけ。

2. ところが、このプログラムを終えた後は、お礼の電話が相次ぐことからも分かるように、ヤマモトという会社に対して愛着を感じている。

3. さらにアトピー関連商品だけではなくて、その他の商品サンプルが、思いがけないプレゼントとして配られていた。

以前は、肌の状態が改善したら、お客は購入をストップする。しかし、お客とシステマチックにコミュニケーションを取り始めた結果、お客の感情を自社に近づけることができた。

会ったこともないのに、人間関係ができるんだよね。

21日間顧客感動プログラム実践事例

（㈱ヤマモトの場合）

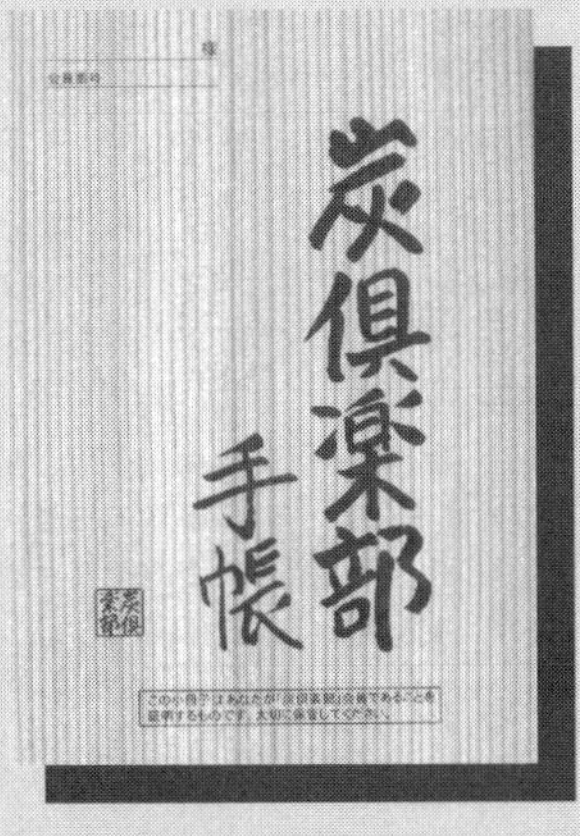

感情を動かすのは単発の
メッセージではない。
メッセージのシークエンス
（連続性）である。

①3日後のプレゼント

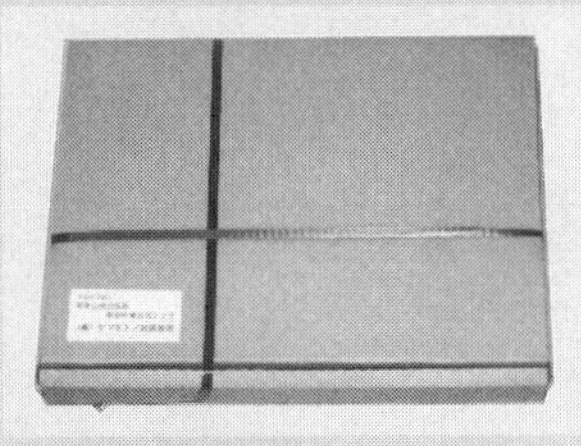

開けると

→

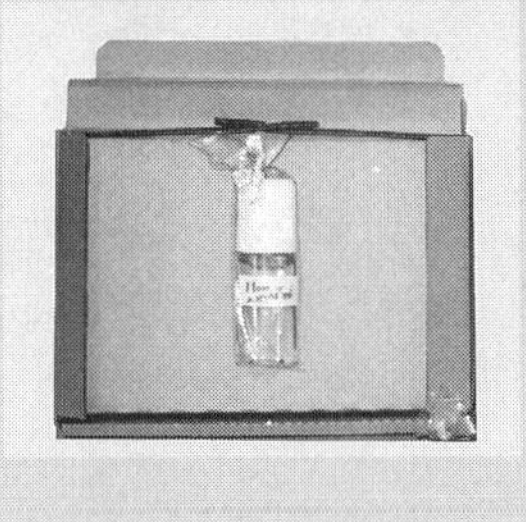

②7日後

開けると

→

③17日後

人間関係ができ始めると、この会社は、「どういう会社なのか」「ほかにどんな商品を販売してるのか」と理解したくなるよね。その結果、商品購買点数や購買単価がアップする。さらに紹介も増え始める。こうして善循環に入る。

繰り返すけど、重要なのは、タイミング。多くの会社は、思い出したようにキャンペーンを、お客が忘れたころにやる。

ところが三カ月後、半年後じゃ遅いんです。なぜならお客の心は冷え切っちゃうから。「鉄は熱いうちに打て」じゃないけど、お客の心が熱いうちにアクションを起こしてやらなければダメ。

◎二日目からは、何をすればいいのか？

あなた「あえて説明されると納得いくけど、これって、優秀な営業マンは、自発的にやっていたことだよね」

私「そのとおり。実際、うちのクライアントのなかでも、お客の流出率が極めて低い会社がある。何をやっているか、ということを分析してみると、無意識的に、この感動プログラムをやっているんだよね」

あなた「そうか！　当たり前だと思っていたけど、ちょっと違うな」

私「どこが違うと思う？」

あなた「意識してやるのと、意識していないというのが、大きな違いだよ」

私「どういうことかな？」

あなた「実は私、以前、家電店で働いていたんだけど、一人だけ、メチャクチャ売る店員がいたんだよ。神田さんの話でピンときたんだけどね、その店員も、二二日間感動プログラムを、**個人的にやっていた。**でもね、**会社はそのことに気付かなかった**」

私「うん、そういう会社が多い。それで、『彼一人がダントツで売るのは、なぜですか』って私が聞くとね、まわりの営業マンがどう答えると思う？」

あなた「えっーと。『彼は、人格で売るからなぁ』とか……」

私「そうなんですよ。要するに、お客は、彼の人柄についている。そう、説明してしまう。でもね、彼がいい人だからお客がついているんじゃなくて、彼が取っている行動によって、流出が止まっているわけ」

あなた「そこで、会社全体でこの二一日間感動プログラムをやった場合には、**システムとして流出が食い止められる**ってわけか」

私「結局、競争力をもつのはね、システムなんだよ。増客できるシステムを会社全体がもっているかどうかなんだ」

◎安いパソコンさえあれば、実践できる

あなた「これって理解するのは簡単だけど、実践するのは大変そうだよね」

私「そうかな。でも、やっている会社はやってるしな。つべこべ言わずにやればいいんじゃない」

あなた「そう、投げやりにならないでくださいよ」

私「まぁ、あなたの言うことも一理あるな。ちょっと前までだったら、こんなこと、

よほどやる気の高い社員をそろえなくっちゃできなかったしね。でもね、どうして最近、このプログラムを導入できる会社が増えたかっていうと、顧客をパソコン管理できるようになったからだよね」

あなた「あぁ、パソコンで初めから三回のアクションをプログラムしていればいいのか。後は自動的に三回のコミュニケーションをとっていけばいいんだな」

私「そう。私だって、面倒なことはやりたくないよ。でもね、結局ね、顧客を流出させるということは、大変なロスをしているわけでしょう。後で、人間関係を取り戻すのは、難しい。そのなかで、最小の努力で、最大の結果を得るしかないでしょう。新規客になったタイミングを、最大限に活用することが、最小コストで固定客化することにつながる」

あなた「そうだよな。デートにさそった後、放っておいて、ほかの女の子とデートしてて、そして半年後にまたデートに行こうじゃ、相手も怒るわな」

私「まぁ、それから信用されるためには、一回目以上の努力とコストがかかるっていうことだよね」

あなた「そのたとえ話は、なんか腹に落ちますわ。最後に、ひとつ質問なんだけどさ、二一日間、終わっちゃったらどうすんの？　これで終わりってわけじゃないんでしょ」

私「うん、固定客化のプロセスっていうのは、その後もあるんだよね。そう、ひとことでいえば、継続的なコミュニケーションが必要となるんだよ。それについては、次の事例で説明することにしよう」

◎顧客教育カリキュラムを組んで、会社のトリコにする方法

それじゃ、お客をあなたのトリコにしていくために、二一日目以降に、継続的に行っていくプログラムについて説明しよう。これを「生涯顧客教育カリキュラム」と言う。

このプログラムを、一言でいえば、お客を定着化するために、お客を教育しましょうということ。

お客を教育する？　随分、高飛車だよね。でも、それには理由がある。いままで会社というのは、「お客に買ってもらう」「お客に奉仕する」という姿勢が強かった。決して間違っていないよ。でもね、それだけじゃダメ。

商品情報が氾濫しているため、残念ながら、お客は、自分で明確な商品選択基準をもたない。そこで、どんなにいい商品をあなたが提供していたとしても、お客はその価値が分からず、浮気しちゃうわけですね。

浮気をされないためには、自社の商品情報をしっかり伝えなけりゃダメだよね。そこで、多くの会社は、立派な総合カタログや会社案内を作る。効率良くお客に商品情報を伝えようとする。つまり、もっている商品が三〇点あるとすれば、総合カタログで三〇点を一気に紹介する。

これが最大の間違い。

たしかに、一度に、大量の情報を提供するという観点からは、効率的。しかし、お客にとってみれば、学校で、一度に教科書を何冊も渡されるようなもん。これじゃ勉強する気が起こらない。

それでは、お客にとって、知識を吸収しやすくするためには、どうしたらいいのか？

それは、カリキュラムを作ってあげること。「まずは、この商品知識を吸収しましょう」「その次は、この商品を使ってみましょう」と段階を踏んで、知識を吸収させる。

このカリキュラムが、きちんと設計されていた場合、**お客は楽しみながら、**商品知識を増やしていく。そして、その会社の理想のお客として育つ。

このプログラムの事例として、東京・吉祥寺（武蔵野市）で、健康関連グッズを販売している会社、株式会社ファイルド・アクティブの山口哲史社長にご登場願おう。

このファイルド・アクティブの社長は、私が独立して経営コンサルタントの看板を掲げてから、初めてのクライアント。

初めて訪問したときを、いまでも覚えている。

店に入ってまず目立ったのは、てんこ盛りの健康テープや食品。そしてスポーツ選手の色紙の数々。さらにケースの中には、水晶のネックレスが！　肩こりや腰痛が和らぐという、波動加工を施した健康関連グッズを販売していた。

「なんとわけの分からない会社に来てしまったのか……」

それが、私の第一印象だった。

社長はとても気さくで、誠実そうな人だった。しかし商品は？・？・？

実は、社長の悩みも、そこにあった。

商品はいいんだけど、説明すればするほど、お客には理解してもらえない。効果・効能を言いたくても、言えば胡散くさくなる。

そこで、効果・効能を強調しなくても、お客がスムーズに商品を理解するようになる。そういう教育カリキュラムが必要だった。

このカリキュラムの作成のポイントは、いったい、お客はどのようなプロセスを経て、理想のお客になるかということである。通常の会社の場合は、購入頻度、購入金額、購入日等を分析して、お客をランクづけする。会社にとって大事な順に、A客、B客、C客というランクに分けるんだよね。

でも、A客、B客、C客というのは、現状、どのぐらい大事な客かっていう指標。あなたが知りたいのは、A客は、どのような経緯で、A客になったのか、ということ。なぜなら、それが分かれば、C客をA客に育てる方向性が見えるからね。

お客を育てるための方向性を見いだすためには、次の質問をしてみるといい。

理想的なお客は、「まず何を買って」、「その次に何を買って」、「最終的に何を買う」のか？

ファイルド・アクティブにとって、理想の客というのは、二万〜一〇万円くらいする、スポーツ選手も愛用するチタンや水晶ネックレスを買ってくれるお客。そこまでファイルド商品を信望してくれるお客である。

このような理想のお客は、どんな商品を経て、理想のお客になったのか？

まずチタンテープという一〇〇〇円以下の商品を使う。痛みを和らげるテープである。そして商品の確かさを実感する。その後、五〇〇〇円程度の健康食品を買う。さらに身体の調子がいい。このように商品を実感していくうちに、気づいたときには、一〇万円以上の水晶ネックレスを買っている。まぁ、単純化すると、理想の客はこのように進化する。

この理想のお客が辿るプロセスを、新規顧客が自然に辿れるように教育したい。そのツールとして最適なのが、ニュースレターである。

ニュースレターとは、「〇〇通信」とか「〇〇かわら版」等の、お客向けの情報誌だ。自社でニュースレターを出している小売店も多い。しかし商品説明やキャンペーン案内が主な目的。「売らんかな」の姿勢が強くて、チラシの延長となる。するとお客は「また売り込みね」と感じ、目も通さない。

ニュースレターの大きな役割のひとつは、新米客が理想の客になる手助けをすること。そのためには、まず何をしなければならないか？

商品を説明することじゃないよ。商品を説明する前にすることがある。なんだと思いますか？

友達になること。

企業からの商品情報を、お客は信じない。だが、**友達から聞いた話は信じる**。

ということは、お客と友達になることが必須条件。

「そんな簡単に友達になれるのか？」って。

お客を全員友達にするのは簡単じゃない。でも仕掛けをしておくと、お客のうち、一定のパーセンテージで、あなたの友達（ファン）になるお客が出てくる。

どのぐらいのパーセンテージかというと、個人的見解で、一五％～二五％程度。

これは理論じゃないよ。経験則。

それじゃ、友達をつくるためには、どういった仕掛けが必要か？

一言で言えば、楽しげなコミュニティの存在。

友達っていうのは、例えば、学校やサークルというように、共通の目標や共通の場所があって、初めてできる。なんにもないところには、コミュニティはできないよね。

そこで、ニュースレター上で、擬似コミュニティを作ってあげるんだ。そうすると、友達ができやすい。

ファイルド・アクティブのニュースレターを見るとね、お客のコミュニティがあることが伝わってくる。お客様の声大賞というイベントがあり、お客同士で「この商品を使ってみてよかった」との情報交換ができるようになっている。

そして社長自身が「ガッツ」というあだ名で呼ばれ、人気者になっている。もう友達感覚。その友達の社長が「私は、うちの商品を、こんな風に使ってます」と私生活を暴露。このように楽しげなコミュニティを通して、お客に無理なく商品知識が伝えられている。〝イキイキ・ワクワク・安心〟のコミュニティづくりが狙いだ。

お客に無理のないカリキュラム、学習環境を作ってあげる。そして、一歩一歩段階を踏んで、商品知識を伝える。すると知らない間に、お客はこの会社のファンに

生涯顧客獲得カリキュラム実践例

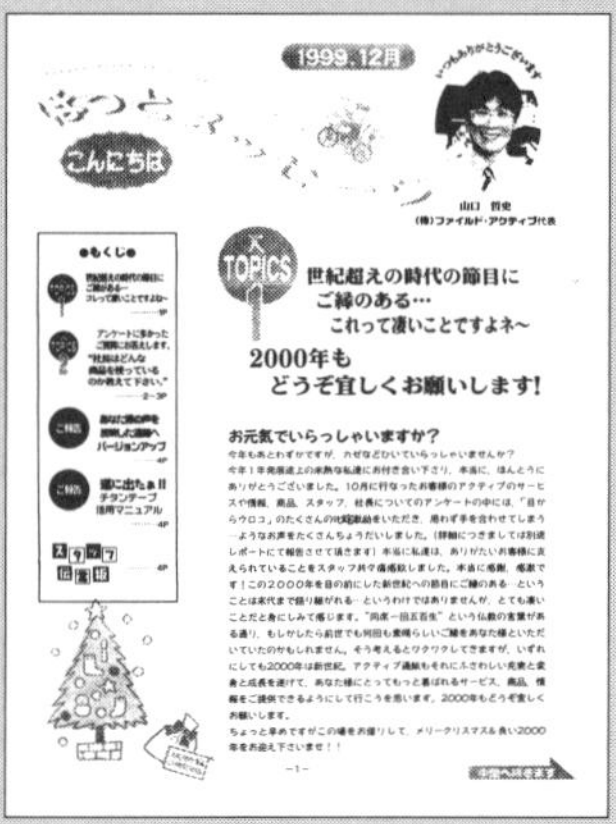

1999.12月

こんにちは

いつもありがとうございます

山口 哲史
(株)ファイルド・アクティブ代表

TOPICS 1

世紀超えの時代の節目に
ご縁のある…
これって凄いことですよネ〜

2000年も
どうぞ宜しくお願いします!

お元気でいらっしゃいますか?

今年もあとわずかですが、かぜなどひいていらっしゃいませんか?
今年1年発展途上の未熟な私達にお付き合い下さり、本当に、ほんとうにありがとうございました。10月に行なったお客様のアクティブのサービスや情報、商品、スタッフ、社長についてのアンケートの中には、「目からウロコ」のたくさんの貴重な意見をいただき、思わず手を合わせてしまうようなお声をたくさんちょうだいしました。(詳細につきましては別途レポートにて報告させて頂きます)本当に私達は、ありがたいお客様に支えられていることをスタッフ共々痛感致しました。本当に感謝、感激です!この2000年を目の前にした新世紀への節目にご縁のある…ということは末代まで語り継がれる…というわけではありませんが、とても凄いことだと身にしみて感じます。"同床一日五百生"という仏教の言葉がある通り、もしかしたら前世でも何回も素晴らしいご縁をあなた様といただいていたのかもしれません。そう考えるとワクワクしてきますが、いずれにしても2000年は新世紀。アクティブ通信もそれにふさわしい充実と変身と成長を遂げて、あなた様にとってもっと喜ばれるサービス、商品、情報をご提供できるようにして行こうと思います。2000年もどうぞ宜しくお願いします。
ちょっと早めですがこの場をお借りして、メリークリスマス良い2000年をお迎え下さいませ!!

−1−

TOPICS 2

アンケートに多かったご質問にお答えします。
"社長はどんな商品を使ってるのか
教えて下さい"
私の健康法と合わせて公開します。

睡眠

食事

運動

呼吸

−2−

仕事

入浴

整髪

−3−

見出しにあるように信者No.1の社長の使い方を・・・というのがアンケート結果で異様に多く、この記事を載せたところ、お客様に「とっても」喜ばれた。

店員さんの声

これ、だれがやるの？と思ったんだけど（ガッツさんにいったら怒られる）、お客様から自己申告がたくさん来たんです。100人分くらいのプレゼントと賞状をあわてて作って送ったら、「賞状なんて久しぶりー！」と喜ばれた。

店員さんの声

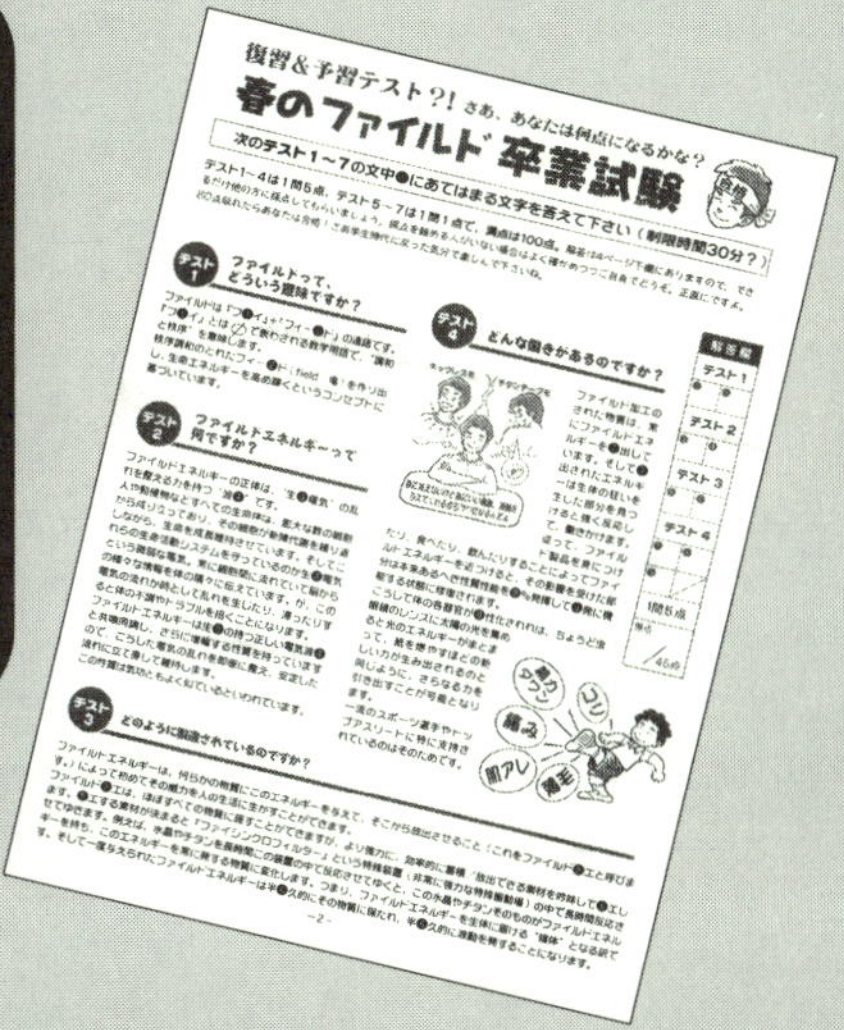

復習＆予習テスト?!　さあ、あなたは何点になるかな？

春のファイルド卒業試験

次のテスト1～7の文中●にあてはまる文字を答えて下さい（制限時間30分？）

テスト1　ファイルドって、どういう意味ですか？

テスト2　ファイルドエネルギーって何ですか？

テスト3　どのように製造されているのですか？

テスト4　どんな働きがあるのですか？

-2-

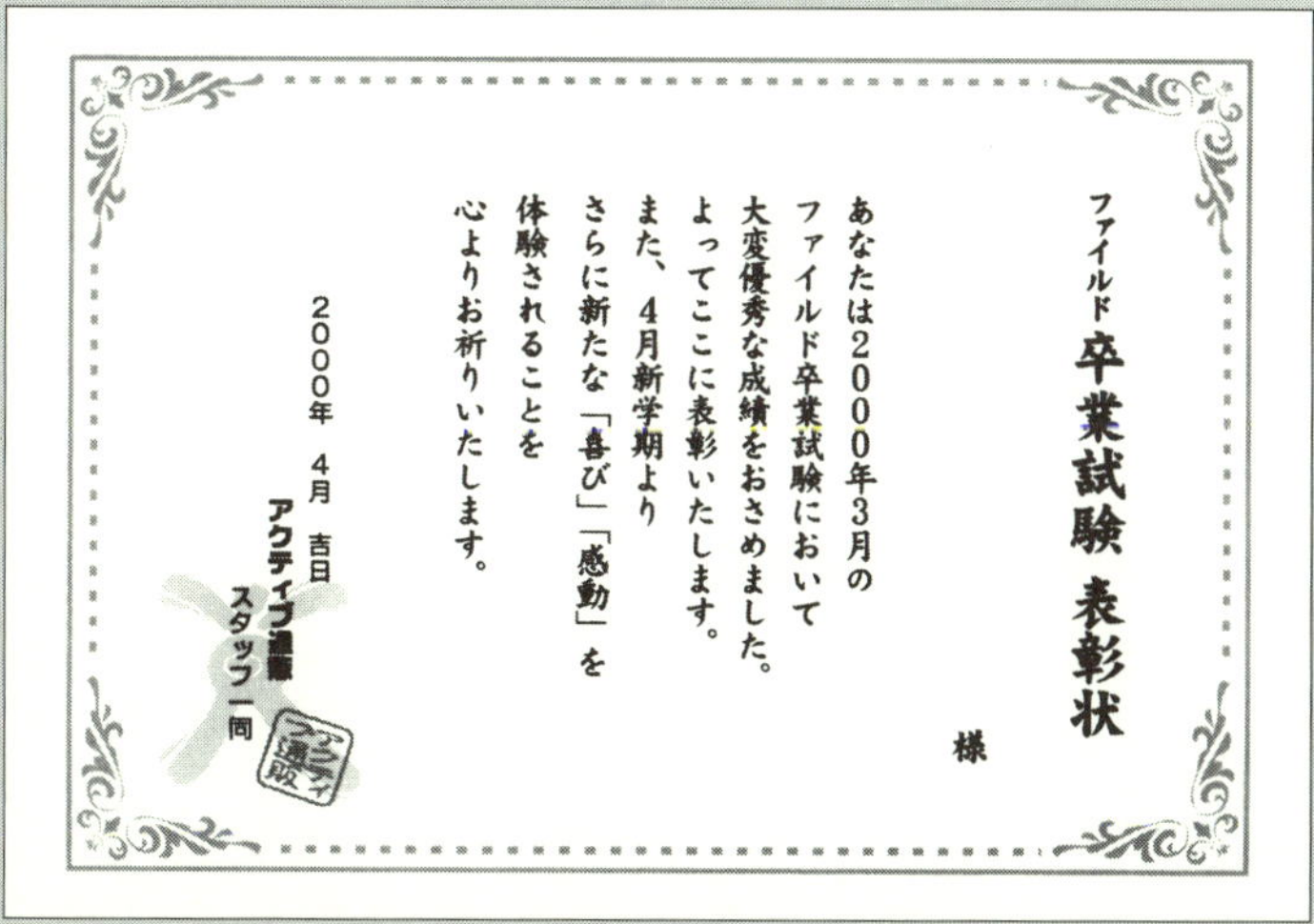

ファイルド

卒業試験　表彰状

様

あなたは2000年3月の
ファイルド卒業試験において
大変優秀な成績をおさめました。
よってここに表彰いたします。
また、4月新学期より
さらに新たな「喜び」「感動」を
体験されることを
心よりお祈りいたします。

2000年　4月　吉日

アクティブ通販

スタッフ一同

（注）この卒業試験は応用編です。21日間感動プログラム等の実践により、顧客ロイヤルティが高まっていないと、反応は得られません。

なっている。

事実、私がそうだった。

初めは、「こんな水晶ネックレスだれがするんだ」とか思っていた。しかし、その三カ月後には、自分も水晶ネックレスをしていた。

結局、うちには、**ネックレスが三本**もある。

ミイラ取りがミイラになるとは……。

◎狩猟型のマーケティングから、お客を育てるマーケティングへ

ファイルド・アクティブの場合、商品が健康グッズや食品。薬事法の規制があり、「効く」「治る」という表現ができない。そのために、お客が無理なく、会社のファンになってもらう顧客教育カリキュラムを導入する必要があった。

でも、ちょっとあなたの業界で考えてみてほしい。商品を良く言えば言うほど、

お客はその信頼性に疑問を感じる。

このパラドックスは、あなたの業界でも同じじゃない？

冒頭に紹介した不動産会社の例を、思い出していただきたい。

四〇万部のチラシを配って、三件の電話。それに対して、二四〇通のＤＭで、住宅三棟を売り切った。

この違いはどこから生まれているか？　それは、この顧客教育カリキュラムがあったかどうかなのである。


この不動産会社は、感情マーケティングを使って、小予算の広告で、住宅購入に興味のある見込客を集めてきた。ただ集めただけではない。声をかけてくれたお客に対して、継続的なフォローを行った。

この継続的なフォローを通して、この不動産会社の真摯な姿勢が、お客に浸透したのである。その間、半年の時間がかかっているわけだ。

つまり半年前に、種をまいた。それを丁寧に、育てていったわけである。その結果、大きく刈り取ることができた。

このようにお客を育てるという視点こそ、非常識な結果を生みだしているのである。

お客の感情を理解して、味方につける会社。一方、自分都合で、お客と敵対する会社。

この二社の競争力の違いは、「二四〇通で五〇組の集客」そして「四〇万枚で、三組の集客」の差に歴然と表れている。

もう勝負は見えているとしか言いようがない。

お客の感情を味方につけ、費用効果的に見込客をつかむ。そして見込客を育て、あなたのファンになっていただく。

この感情マーケティングのやり方は、いままでとは大きく違う。「かっこつけてもしょうがないじゃないの」というゲリラ的なやり方である。

だから、あなたもライバル企業から、笑われることだろう。
ちょうど、私のピンクの本が、笑われたのと同じように。

でも、勇気をもって取り組んでもらいたい。最後に笑うのは、あなただから……。

おわりに

「ラーメン！」「ラーメン！」

オープン前から、群集が騒ぎ出した。

屋台の前に、人垣ができていた。一時間半で四〇杯売った。あまりの反響に二〇人は、お帰りいただくしかなかった。

五月二七日。場所は、沖縄・那覇市の平和通り商店街。

屋台ラーメン・麺，sが、「二時間限り！　幻のラーメン」というチラシを配って、起こした出来事だ。

私は、この報告の手紙を、ミスター・ドーナッツでドーナッツをほおばりながら読んだ。

思わず涙してしまった。

麺，sは、那覇市・松山で一番の繁盛店だった。しかし、旧ホテルの解体工事のため、場所の移動を余儀なくされた。そして、本年四月から、再びゼロからのスタートとなった。全然売れない時期が続いた。

苦労を知っているだけに、この報告は嬉しかった。

麺，sの社長の野崎さんに、一言いいたい。

あんたのやったことは、しびれるほど、かっこいい。

この本に書いてあることは、屋台のラーメン屋さんから、年商三〇〇〇億円の物流会社まで実践している。私が本のなかでコテンパンにやっつけている、大手の広告代理店でさえ、クライアントへの提案に取り入れている。

しかし、どんなに多くの会社が実践していたとしても、あなたの信頼を得られるかどうかは、別の問題だ。この本を読んで、「神田っていうのはペテン師だ」と思う方も、当然いるだろう。

正直、そう思われるのも、仕方がない。

私なんか、もともと役人だったのだ。頭でっかちの、カチカチ。

親戚からは、「昌典くんには、文章を書かせない方がいいと思うわ」と言われるぐらい、どうしようもなくツマラナかったのだ。

だからこそ、自信をもって言える。

私のことを、バカにしていただいても結構。この本自体を、否定しても結構。

ただひとつ、お願いがある。

実践することの重要性は、否定しないでほしい。

今回は、実践した三〇〇社以上の会社から成果をお寄せいただいた。
すごいよ。あなたの実践のエネルギーが、ビンビン伝わる。このエネルギーが、
これから実践する人に勇気を与える。

本当に、ありがとう。

そして……

ワクワク系マーケティングの小阪裕司先生、ありがとう。

小阪先生との共同作業で、感情マーケティングはバージョン・アップしている。
本書の内容も、移動中の新幹線のなかで、そして焼き鳥屋で酒を飲みながら、彼との激論のなかで、開発されたものだ。

最後に、　読者のあなたに

実践は、瞑想より一〇〇倍かっこいい！

平成一二年六月三日　間借りしている小さな事務所にて

神田昌典

追伸、あなたは、どこから、はじめの一歩を踏み出しますか？

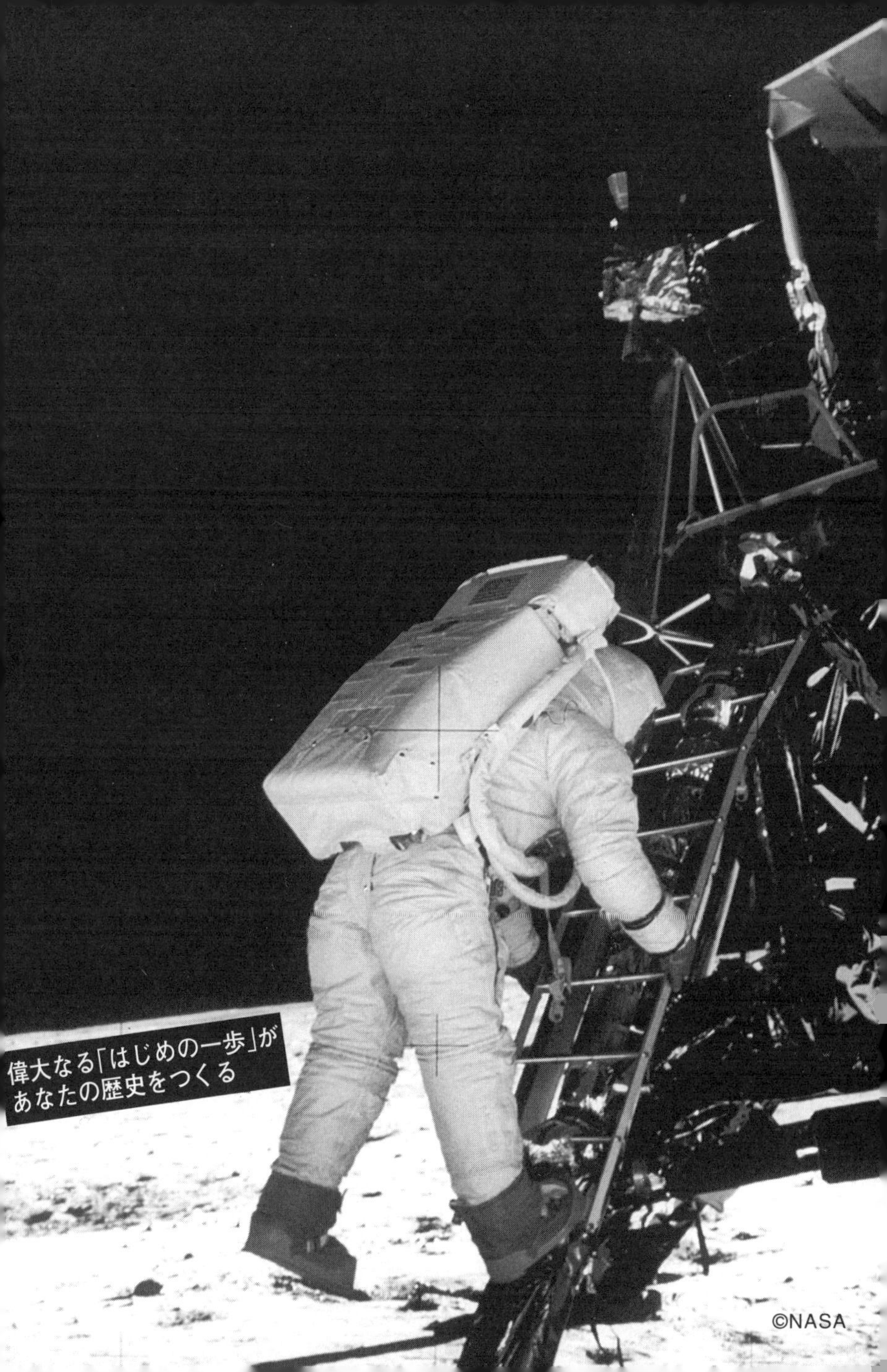

偉大なる「はじめの一歩」が
あなたの歴史をつくる
©NASA

本書のノウハウによって業績を上げた334社

1.導入後売り上げ急増！かかったコストは本代1500円だけ！／㈱ムラタ漢方　2.クライアントへのアドバイスの教科書として活用しています／中原税理士事務所　3.情報誌創刊号が新聞３紙に取り上げられ、販促に大いに役立った／ペガサス㈱　4.ＤＭ代22000円に対して140万円の売り上げ。その後も続けている／うさぎ薬局㈲ラピーヌ　5.インターネットのホームページ作成用に活用しています／㈲原花店　6.販売促進費は４分の１、顧客反応は10倍。難しい新規事業が１年で立ち上がった／ハウスプラスワン㈱　7.お客様からのお便りがたった半年で１日50通。200%のアップ／ティーライフ㈱　8.800名の方にチラシを配布したところ、実際の申し込み者が40名／日本綜合食品㈱　9.３月決算140%売り上げ増。新規見込客50%アップ。毎月10～20%アップしている／㈱さくらコーポレーション　10.お客様にも神田ファン急増中。１ヶ月足らずで得意先を10件増やした方も／尾木会計事務所　11.ピンク本から感動を体験／㈱キューイン　12.売り上げ2.2億が２年で9.1億。成長率414%！／㈱グリーンランド　13.今までとまったく異なった切り口で、反応が楽しみ／ラブリー㈱　14.従来２～３組だった現場見学会に、たった１日の開催で11組来場。5.5倍に／㈱ひらい住宅ＦＣ部　15.１色の折り込みハガキで、218件（843名）の申し込みが！／㈲でむら屋回転すしすし八　16.説明会まで参加した人の比率が6.7%から16.9%に／青春大学　17.ＤＭへのレスポンスが１%前後から平均６%にアップ／日本ソーサー㈱　18.元気が出た。アイデアが涌き出る／㈲木村屋　19.取引先からさらに信用され、コンサルタントとして出向してほしいといわれた／㈲リンクアップ　20.取引先との情報交換、打ち合わせ等に話題を提供し、信用がより高まった／日本火災海上保険㈱神戸支店姫路ＳＣ　21.広告掲載後、まったく手間いらずですぐ契約できた／㈲ＣＲＦ　22.ＦＡＸＤＭのアクセスが一気に10%アップ／メディアネットサービス㈱

23. 5 月末には結果が出る。これからが楽しみ／㈱エス・デーシーテクノ　24.一昨年は期間売り上げ100万円、昨年は150万円にアップ／㈲佐倉きのこ園　25.入塾率が対前年比150%を達成。しかも小冊子を読んだだけの方多数！／㈲未来計画　26.ＤＭに対する考え方を変えることができた／㈱ジュエルセブン　27.目下検討中。やっとチラシのスタイルが決定／㈲オフィスブインンナウ　28.数年来ずっと赤字だった決算が、半期黒字になった／WINE SHOP（資）中仁酒店　29.チラシ反応率が 2 倍に／㈱ハウスメイク　30.キャンペーンの反応が約30%アップ／HAIR SHOP ANDO　31.ゼロに近かったＦＡＸＤＭの反応が、30通送付して 3 通の資料請求／ソシオコーポレーション　32.通信費・広告費を限りなくゼロに近づけることに成功／ＡＣパートナーズ　33.5月16日に広告出します。追って連絡します／環境保全工業㈱　34.小冊子が新聞記事に掲載され、信用度アップ／㈲公方建設　35.ミニコミ紙の広告を作り直し、反応が37%アップ／㈱玉菓子　36. 2 日間10～15組だった展示会来場者が、18～35組に／上田自動車㈱　37.リピート購買率25%アップ／㈱ヤマモト　38.第一回目の商談に入る率が30%アップ。毎月10台平均の成約も今月は15台見込み／サムデー㈱　39.営業上の心理的ストレスが激減／㈱ナス保険センター　40.集客率0.3%が 1 %に／㈱日東サービス　41.マーケティングのわかる会計士として宣伝中／山下会計事務所　42.ＤＭ反応 4 倍にアップ！独立開業１ヶ月目で安定収入確保／㈲エルハウス　43.どんな世界でも使えそうな手法なので、多方面で実行する予定／山下石油店　44.営業経験のなかった自分にも、自信がついた／㈱ワイコム・パブリッシングシステム　45.ＤＭによる売出しを実施。売り上げが通常時の55%増しに／ソーイングランド喜多方プラザー　46.今までゴミ箱行きだったであろうＤＭの反応が300%アップ／ＥＭＧ駅前ゴンダ　47.445社にＦＡＸ送信し、52社から返信あり。新規開拓での口座開設率が現在81.8%！／イビデン㈱建材事業部　48.伸び悩んでいたインターネット通販の集客率が跳ね上がった／㈲メモリ　49.今年春の学習塾の生徒募集で、チラシの反応率が倍に／㈱バース

50.ターゲットを絞り込んだチラシで、生徒が少しずつ増えてきた／開進スクール　51.ＦＡＸＤＭの回収率が以前より相当良好に／㈲橋本部品サービス　52.営業の士気が高まり、売り上げ高が25％近くアップ／㈱ケンプル　53.大手メーカーとの取引ができるようになり、売り上げが前年比120％アップ／㈱阿部食肉　54.問い合わせ、ご来店が、土日で通常の約３倍に／アイティーオー㈱　55.460件にＦＡＸＤＭ。問い合わせ、見積もり依頼４件有り／㈲総和　56.既存のお客様のＤＭ反応率が200～300％以上アップ／売り上げも１年前の２倍に／いわさ屋　57.若手社員が張り切って勉強中／㈱本田洋行　58.プレスリリースが地元新聞にカラーで掲載された／㈱のうひ葬祭　59.反響が３倍増。大手学習塾とも契約が／三和写真製版㈱　60.ＦＡＸＤＭを実行。放っておいたら100％他社に取られていた／㈱レカムジャパン大阪南ＦＣ　61.お客様の反応に確かに違いが／㈲ハートプラン　62.ハガキによるＤＭをやめ、封書に切り替える予定／㈱荒巻薬局　63.神田方式でホームページ作成。僅か２日間で4000件のアクセス有／シーシーエスコーヒー㈱　64.1000人に対し、ＤＭ反応率30％、新規顧客獲得率15％アップ／㈲玉づくり味噌　65.広告の反応率が、150％アップ／㈲ローヤルプロジェクト　66.ＤＭ反応率42.6％、商談への反応16.7％。楽しくなりました／環境防災クリエイティブセンター　67.2500枚のポスティングで、２週間で36通の返信有り／小松建設㈱　68.大雨の中にもかかわらずオープンハウスの来場者９組、購入希望者３組／㈲伊豆屋住宅不動産　69.留学フェアの参加者が７倍に／アンジェラス　70.お客様の信用を得て、顧客増化。常に１ヶ月１組以上／藤岡食品㈱　71.このたび法人を設立企業。ガンガンいきます／ＡＩ総合建物㈱　72.お客様からの問い合わせ、見学会への来場が7～10倍と大幅アップ！／積水ハウス㈱　73.ＤＭによる注文率は36.5％／㈲伊勢錦　74.リピートの可能性が高く、今後が楽しみ／ラック㈱アガリスク事業部　75.顧客獲得にこれほどまでわかりやすく、かつ科学的なマーケティングが存在したことに驚いた／ソニー生命保険川崎支社　76.導入直後から集客、ＤＭ返信率が20～30％アップ。現在売り上げは前年比50％アップ／戸田文商店㈱

77.社員の意識も向上。広告が社員まで動かせるとは／㈲井上建工　78.チラシ、ＤＭ作成のポイントがよくわかった／㈱芳文堂　79.経営セミナーの案内ＦＡＸを流したところ、連休中にもかかわらず新規増加。セミナーでも反応率大幅アップ／公認会計士税理士赤岩茂事務所　80.不動産売買のチラシにおいて、文章の出来によって反応が出るようになった／ハンプトンコート㈱　81.新しい努力の方向性が見つかりました／神明モータース（シンメイ）　82.突然の受注と大幅なコストダウンが／㈱佑コンサルタンツ　83.一棟の契約に100万円程度かかっていた広告費が、17万7500円で済むようになった／㈱スペース・クリエイト　84.売り込みをしないＤＭにより、問い合わせ50％アップ／クイック９.１.９　85.たった１％のサンプル請求がなんと７％に。成約件数も７件獲得／㈲商徳ビジマハカンパニー　86.パーソナル研修プラン送付率が95％。以前の約７倍／㈲井上直美留学研究所　87.ピンクの本を参考に募集チラシを作成。応募が１割アップ。電話帳広告にも応用し、問い合わせが約２割アップ／㈱トキオインシュアランスコンサルティング　88.導入後、この方法を知った会社の人間の意識に明らかな違いが／ミレニアムライフ㈱　89.業績アップが目の前！仕事がとてもやり易くなった。アッハッハっと楽しく笑える！㈲イーライフ　90.効果87.5％アップ！200通発送して５件の反応だったＤＭが、50件発送で10件の反応に／㈲エンジェル　91.前作を参考にしたＤＭに、３通に１通の割合でレスポンスが／㈱グローバルアイ　92.スタッフの手書き印刷をポスティング。お客様が何人来店してくれるか楽しみ／㈲細谷　93.前作を教材にお客さん、知り合いとチラシの研究会を開催。売り上げ２倍の居酒屋が誕生してビックリ！当社もいい実績ができて紹介が増加／㈲リード・クリエーション　94.集中的に２ステップを始め、通常月100人くらいの新規が325人までに／㈲カネヨ販売　95.初めて試したＦＡＸＤＭで、レスポンス率が40％を超えた／㈱ケイ・エス　96.新規事業の立ち上げ準備中。社員の士気が向上。新入社員も無駄な仕事がなくなり即戦力に／アサカ㈱　97.新しいチラシにしたところ、ひやかしがなくなった／㈲赤澤プランニング

98.考え方、資料の作り方の大きな参考に／ひかり産業㈱　99.段階別割引、小冊子等で、3.3%の集客を予定／㈱クイックマッサージ　100.ＤＭ、折り込みチラシに活用し、売り上げは昨年対比2.3%アップ／㈱イシカワ　101.本を読み、ビデオを見て、いいものに出会った、という気持ちです／㈲未来企画　102.導入後、見込客30%アップ。販促費20%削減／㈱藤井工務店　103.いつでも仕事がとれるので気持ちに余裕ができ、無理な仕事がなくなり利益率、売り上げとも着実にアップ／㈱青山　104.まったく面識のない相手5件にＤＭを送り、３件成約。参考になりますか？／㈱アイ・ディー・エヌ　105.話を聞いてくれた訪問先は、60%以上成約できています／コスモカラー㈲　106.既存客に対しての毎月のＦＡＸＤＭの反応率が８%から12%に／からすだ事務㈱　107.ＤＭに対する感謝の報せがびっくりするほどあった。イベントへのＤＭでの来場者もグーンと増えた／Ｄｒ.リフォームサンセイインテリアデザイン一級建築士事務所　108.これからの営業戦略の大きな指針となった／㈱メディカル技研　109.ＦＡＸＤＭを行ったところ、仕入先の社長から驚きの電話が／サン・ビーム　110.新サービス、新商品が体系化され、代理店システムが確立された／片桐印刷㈱　111.アンケート回収率が大幅にアップ／コニカマーケティング㈱名古屋支店　112.仕事、いや人生まで90日で変わってしまいます／販促エンジン北海道　113.前作を購入後、自社で広告を作成し営業。新聞広告より効果があった／㈱鋕己有画　114.ユーザー数件にＦＡＸＤＭをしただけで、すぐに受注となった／㈱サイトウジムキ　115.ＤＭを出した結果、なんと25%の方々からご注文が。リピート率も40%以上アップ／㈱ソフトウェーブ　116.ユーザーに対してのアピール、提案書に活かせそうで、自信が持てるようになった／スワマシンツール　117.新しいＤＭに変えたところ、該当商品の売り上げ月商が150%アップ／㈱ローズメイ　118.毎月顧客に出しているハガキＤＭのレスポンス率が30%台をキープするようになった／㈲バランス　119.考えもしなかった商売の仕方、しかも即実行できる。販促策に活用します／㈱万立

120.チラシの反応率50％アップ！売り上げも50％アップ！毎日チラシを打つのが楽しみ／布屋寝具店　121.ＤＭ、チラシを作り直したばかりだが、真剣に取り組んでいきます／㈱アオキ開発　122.更改率100％。顧客からの更改依頼も20％アップ（レターを出すと向こうから電話がかかってくる）／日本リスクマネジメント　123.ＤＭで8.3％の新規を獲得。以前のチラシの時と比べると約9.46倍の獲得率／宅配写真の㈱ルイ・ヨコタフォート　124.２週間でＤＭ、ＦＡＸのレスポンスが３倍に／㈲ネットシステムズ　125.ブライダルイベントへの参加者が３倍増に。ＤＭの書き方がわかった／㈱マイム　126.チラシを顧客に配布し、さらに単価の高い商品を販売するためのステップとなった／㈱関西全家研　127.「見込客をベルトコンベアーで流れるように成約していくシステム！」を完成させました／ソニー生命保険㈱代理店　128.導入後、新聞折り込みチラシの反応が50％アップ／（資）ハッピーレコード　129.クライアントの見込客獲得率が30ポイントアップ／クリエーション　130.ビジネス雑誌22誌に記事取材依頼のＦＡＸを。うち８誌に取り上げられた／㈱千葉教育フォーラム　131.顧客とのコミュニケーションが深まり、利用頻度も高まり、紹介も増えた／青山整足研究所　132.対前年比で顧客数1.58倍、売り上げ1.82倍と大幅改善／㈲ディジプラン　133.対前年比で粗利益30％アップ。今まで売れなかった商品も売れて本当にビックリ／㈱大果　134.新しいＤＭでレスポンスが32％アップ／マンション販売会社　135.ホームページ、チラシ等の作成に大変参考になっています／㈱リフォームハウス　136.ＤＭの反応が120％にアップ。そのうち成約率は81％／㈲ホームデコ　137.ＤＭのレスポンスが平均８％から12～15％に。どのようにすればお客が反応するかを気付かせてくれた／㈱生活総合サービス　138.導入後のＤＭで以前と比べ15～20％の反応があった／㈲ベスト・チョイス　139.ＤＭ等の書き方、送り方の参考になった。方向性が見えてきた／アルソアＳＴＫ　140.今までの問題点を全て解決できそう／壽しあわせネット・寿製菓　141.インターネット事業もスバラシク急成長してきました／㈲ハイ・スター

142.チラシ50枚で20件の問い合わせ有。うち7件が仕事につながりました／オフィスK　143.新しいチラシで目標反応率50%アップ、コスト40%削減／㈱前田屋安芸郷通販事業部　144.インターネットでのリピート率が70%、注文数は4ヶ月で倍になった／珈琲豆売り店さかもとこーひー　145.チラシの表現を変えることで、問い合わせ増加／㈱明朋　146.出すとレスポンスがわかっているので、安心してＤＭが出せます／ＤＤＩポケット豊橋東店㈲オオモリ　147.フロントエンド用の商品を用意していたとこと、キャッシュフローが30日で改善された／㈲ダイアログジャパン　148.ＦＡＸメールで、新規取引開始率1.44%／㈲イマジン　149.見込客へのセールスがやりやすくなった／ONE'S OWN by ナカニシ　150.導入直後からタウン誌での広告の反応が400%アップ。新入会生の数も3倍以上アップ／㈱寺下活生トータル研究所　151.あるクライアントの広告反応が2倍になり、売り上げが30%アップ。広告予算は削減したのに・・・／㈱インタークロス・九州ベンチャー大学　152.導入直後から1ヶ月の登録者数がそれまでの最高月の70%アップ。売り上げも40%アップした／大砂行政労務事務所・アシスト　153.新しいチラシが、昨年4月開校以来最高の問い合わせ数、面談数を獲得／新学セミナー　154.新規参入にもかかわらず、わずか1年で自社ソフトを500校以上に導入できた。取扱い販売店も100社を超えた／㈱ディアイエス　155.イベント写真撮影の件数が対前年比150%アップ。同客単価120%アップ。生花販売件数は約180%アップ！／㈲はなや　156.セールやＤＭは効果がなく中止していたが、改善したＤＭを150通出し、波及分を合わせ7件の注文が／シゲエダゴルフ㈱　157.セミナー集客33倍、コスト300分の1、しかも2万3000円の費用で465万円の売り上げ／アシスト経営　158.ＤＭの内容を変更。回収率14%、対象売り上げ60万円に／㈲ハル　159.紹介率が約8倍にアップ。資料請求に対しての成約率も20%が50%に。社員の士気も高まった／アロハージャパン㈱　160.新聞広告のコピーに注意を払い、効果アップ。売り上げ、利益とも2倍以上の成長に／㈱コール金沢

161.タウンページ広告最小スペースで、ＦＡＸＢＯＸへのアクセスが月平均10件以上。うち３割は見積もり提出／㈱エムアンドエスコーポレーション　162.チラシの内容を改善し、２ステップマーケティングを導入。反応率200％以上／オートウェーブ豊中　163.既存客で眠っているユーザーにＤＭを出したところ、2.7％のオーダー有り。また起こすことができた／㈱そら　164.新しいＤＭにより、集客が悪かった講演会に見込客が来場。成約に結びついた／㈱仙台エアサイクル住建　165.顧客に対する切りこみ方がとても参考になり、いろいろ応用している／オリオン商事㈱　166.無駄な見積もり設計がなくなり、成約率が高まった／㈱ハウゼ　167.新サービスに対する引き合いが対前年比で20％の伸び／㈲データム　168.73通のＤＭでお客様４名獲得。最近ではビジネスだけでなく人生にも自信が湧いてきた／㈲Ｖコーチ　169.イベントへの申し込みのスピードが速くなった／㈲スタディオパラディソ　170.今までは広告費をドブに捨てていた。これからは違います！／㈱バイナリー　171.チラシ効果が３倍に！見込客のフォローにも手応え有／ワダハウジング和田製材㈱　172.アンケートハガキの戻りに効果あり。販売・開発へフィードバックできる情報が６ヶ月で約10％アップ／㈱グランドール　173.お客様と心の通じ合うＤＭに改善。返信率が60％までアップ／㈱アイブライド　174.見込客獲得コストが約４分の１に！見込客数、成約数も大幅アップでマーケティング担当者ニッコリ／ライオンズコーポレーション　175.ＤＭによりお客様との新しい関係が持てた／平野硝子㈱　176.ホームページのみの集客活動で、３ヶ月で集客率４倍／エイディプロダクツ　177.見込客へのＤＭと電話フォローで、反応が60％に／東進衛星予備校上安校　178.再来店を促すＤＭの反応率が30％アップ。取引先等への提案書も通りやすくなった／㈲ドゥ・ラック　179.業界全体が落ち込んでいる中、対前年比10％の売り上げアップ／加納米穀店　180.新聞広告で13名の見込客名簿を獲得。うち１名成約／佐藤建設工業㈱　181.チラシの反応率が20％アップ。新規顧客が固定化してきた／㈲満寿屋浜見平支店　182.チラシ、ＤＭを改善。ユーザーの反応がまったく違ったものに／㈱アクトハンズ

183.新しいＤＭで10％のアポイントメント獲得。／アーサーアンダーセンヒューマンキャピタルセンター　184.エモーショナルチラシの配布とＴＶ放映のタイミングを見計らい、来店レスポンス20倍！今どきチラシ一回で元がとれるなんて・・・／㈱ファイルドアクティブ　185.以前は90万円の広告で30件の問い合わせ。導入後は28万円の広告で120件の問い合わせ、10件の契約が／㈱メリックス　186.現在、７月までの工事予定が計35棟つまっています／㈲広島県環境サービス　187.今まで問い合わせ０件だったＰＲ広告に10件の問い合わせが。その後取引につながった／ハクレイ酒造㈱　188.新しいチラシで、見学会の来場者が倍増／㈲マルイ住宅　189.チラシ、資料を改善たところ、なんと1年ぶりに取引再開となった会社販社が６社！驚きです／食生活環境推進会議㈱フュージョン　190.導入後２ヶ月で売り上げ15％の向上、説明会からの成約率85％以上達成／アクトアカデミー　191.今までのＤＭを大幅にリニューアル。昔のお客様が久しぶりに来店すてくれるようになった／鳴門　192.広告などは信用せず、営業だけでやってきたが、新聞の無料掲載で驚くほどの効果があった／グローバランス㈱福岡支店　193.従来の手法では0.3％程度だった商品・サービス案内のレスポンスが、１～５％に／㈱オプト　194.ＦＡＸＤＭ2000件で、見込客50件獲得。かかった費用は電話代１万5000円と、自分の頭少々／㈲イージー・コミュニケーション　195.広告の反応が１年前に比べ266％アップ。売り上げも徐々に伸びてます／AIAI MEDICAL　196.インターネットで全国販売への足がかりを。受注も着実に上昇中／洋菓子ハナビシ197.１日15～20人の来店者数が、50％以上増加／㈱ユーアンドアイ　198.見込客発掘のためのコスト１件６万2000円が、25分の１の7500円になった／プライムサービス　199.導入直後から問い合わせ件数が毎回50件、見込客25件。１回の広告費はわずか9000円／三輪身体心理教育研究所　200.販促費用の削減につながり、新規顧客獲得が効果的に／㈱細見互福グループ　201.超小予算のタウン誌広告掲載で400万円の売り上げ／サクセスプラン　202.これから仕事を始めるにあたっての大きな参考に／諏訪千賀子

203.営業マンの心得を参考に。また安いチラシ作りでコスト20%減、強いチラシ作りで収益20%増／㈱ゆとりすと　204.今までの宣伝方法を変え、心に響く新ＤＭにした／サンヨーホーム㈱　205.リピーターのフォローはおろそかにできないと、肝に銘じてます／オフィスＹ’ｓ　206.導入直後からチラシの反応が30%アップ／㈱トータスホーム　207.無駄をせず効率よくＤＭ、広告ができるようになり、新規顧客獲得率約80%アップ／マルエー薬局　208.顧客サービスの考え方が変わり、お客様から信用され、相談も来るようになった／㈱ニシノ清塗工　209.お客様との関係が親密になった／ジュエリードゥノグチ　210.感情に訴えるＤＭで、認知されるスピードがアップしている／オートウェーブ青森中央店　211.営業トークとＤＭで新規開拓を。必ずといっていいほど問い合わせが来ている／山一木材㈱　212.新しいＤＭを出したところ、想像以上の反応が／小金丸善生　213.10行ぐらいの広告でも今までにない反応を得ることができた／三葉システムアート㈲　214.広告を出しても２～３人しかなかった応募が、なんと30～40人になった会社が。私の広告に対する考えが180度変わった／㈱クイック福岡　215.見込客へのＤＭで、20%のサンプル希望者獲得。リピート購入者も20%を超えた／㈲Ｆ酒店　216.昨年23%だった集客のためのアンケートの反応が、導入後にでなんと78%に！売り上げも毎月10～20%伸びています／カラープランニング＆ミキモトコスメティックスRed heart　217.以前はＤＭ800通で反響ゼロ。今回のＤＭは1854通で23通の反響、うち契約見込み３社／㈱U.T.I JAPAN　218.導入１年間でコストが200万円から60万円にダウン。見込客は60件から300件に！／㈱メープルホームズ高松　219.導入後より新規客が毎月100件以上増加／㈱タイセイ　220.これまでチラシをまいても反響がなかったが、本の通りにやったら問い合わせが出てきた／森口商店　221.売り出し期間４日間で44人来店。売り上げ45万円、経費９万円／㈲光田屋　222.パンフレットとポスターで受講済20人、予約９人と予想以上の反響／㈱高橋情報システム部アクト　223.ＤＭのやり方としてかなり役立っている／武田英昭

224.導入前に比べ、モニターの申し込みが30％アップ／コスモマインド　225.新規顧客数が約30％アップ／電機通信機器販売㈱　226.管理物件のオーナー様からますますの信頼を得ることができた／大伸住宅㈱　227.ＤＭの返信率18.8％／㈱ボンニー食品事業部ナチュラルハウス高知店　228.「これだったのか！」今までの悩みが一気に晴れた／㈲実本工務店リフォームジツコー　229.ＦＡＸＤＭにより20件中２件の見込客を獲得。うち１件が大口契約に／オネスティ事務局　230.売れる営業の仕組みを理解した。仕事が有意義で楽しい／日本コミュニティー㈱　231.来店客の質が20％くらいアップした／ロイヤルハウス厚木　232.ＤＭ反応率４％が10％近くになってきた／太陽エリアス㈱　233.導入後はお客様の内容、密度が違う／㈲ユキマサ住宅事業本部オレンジホーム　234.ＤＭ506件で、資料請求４件／ＰＣアカデミー　235.ＤＭでお客様をしぼりこみ、通常の５～６倍の来店者数／㈲ナンバーワン・クラブ　236.ＤＭの効果が600％アップ／㈱システム　237.雑誌に広告を掲載。2ヶ月でなんと500人の注文が／番町書店　238.集客実績が昨年の50％アップ／プロローグ仙台　239.新聞広告の内容を変えた。今までの２倍近い反応が／橋本産業㈱　240.北九州市発注の大型工事の起工式の７～８割をスーパーゼネコンより受注／㈱バンケットクリエイター　241.ＤＭの書き方で確実に反応が違うことがわかった／㈲堀周商店　242.導入後、オリジナルカタログを作成し、地域一番店に／㈱アクティブ　243.お客様の視点で商品や販売方法を見直すことができた／小川屋　244.既存顧客へのアプローチで、月の売り上げが３割上昇。イベントも開催決定／㈲イワサキアソシエイツ　245.コストはたったの2000円で、４件の見込客を獲得／オフィスムーン・ウェブ　246.社員のやる気が向上。問い合わせも増え、売り上げ約300万アップ／㈱新栄　247.ＤＭでの反応が10％も／㈲シーエスクリエイト　248.ハガキとＦＡＸのＤＭで反響率４％。大大成功／ナカタ　249.インターネットの売り上げが対前年比100％アップ。通販の売り上げは10％、卸売り上げは５％アップ／丸中製茶　250.４月決算で対前年比120％の実績／㈱味とこころ

251.ＤＭのコストの大幅な削減に成功。お客様の反応率もアップ／日産チェリー高槻販売㈱　252.ＤＭの反応率が大幅にアップ。おもしろいほど集客が簡単に／㈱タイヤタウン福岡　253.折り込みＤＭの資料請求が２件から９件へと大幅に増加／インターロック㈱　254.夢、笑顔、感動、感謝。目からウロコの状態です。／㈱ジェイ・プロダクト　255.チラシのレスポンスが40％急上昇／㈱アドペンテル　256.チラシを見た売主様から「資産管理を全面的に任せたい」と予想外の反応が得られた／㈲内田オフィス　257.レターに導入したところ、反応が２～３割アップした／U.Iアカデミー　258.セールスを行う見込客の選別が非常に楽になった／坂井秀史（エス・シー・アイ）　259.会社発展の可能性を感じることができた／ワンダーテック㈲野村電機　260.ＤＭでの資料請求が、今まで２％だったのが10％以上になり、３ヶ月で有力見込客が20件以上に／日産住設㈱　261.多くの図書、資料の中でも「これだ！」と確信しています／１級建築士事務所ハウス・メンターオフィス　262.常に効果的なＰＲの言葉を意識するようになった／㈱梅こし　263.チラシのせいか、お客様への来塾時の説明がほとんど要らなくなった／個別指導アシストグループアシスト益城　264.ホームページのアクセス件数が３倍に／エルピス　265.個人客が昨年の２倍に増え、決定率も100％／㈲大島塗装　266.提案書、ＤＭを作り直し、大手量販店バイヤーからの反応が確実になった／青葉自動車販売㈱　267.新しくチラシ折り込み実践後、レスポンス率が10倍に／プラスワン　268.ニュースレター発行後、すぐに仕事の依頼が。新聞にも記事が掲載された／丸子設計工房　269.ＤＭの反応が50％アップし大満足／桑島不動産　270.反応率、前年度比40％アップ／㈱ウィルエドゥケイットスクール　271.商品全般の売り上げ利益を10％増加させることに成功／健美輪カギモト　272.新しいチラシで今までの3倍の売り上げ実績が／ミユキ洋服㈱　273.チラシを改善して即２戸販売／オガワ・経営事務所　274.新しいチラシで昨年110％をクリア。コストは半分に／㈱ビート良品創庫トライ　275.チラシの反応が２～３倍よくなった／㈱アルマ

276.ピンクの本を参考にしたチラシで、来店者70名、購入者23名、売り上げは3日間で700万円を突破！／㈲インテリやプロ　277.ＤＭで100件中5件の成約が／西本繁夫　278.既存顧客へのアプローチが変わった。イベント集客も120%に／㈲田北ミシン商会　279.少しずつ手応えが。進むべき方向がはっきりしてきた／㈱アインファクス研究所　280.苦手だった、顧客の売り上げに関する相談が楽しくなった。ニュースレターも好評／㈱財務プランニング　281.電話帳の小さな広告への問い合わせが毎日1本以上ある／㈱青山パーキング保険設計　282.導入後の初心者入会者数が対前年比で127.3%、全体の入会者数も117%に／国立インドアテニススポット　283.不況の袋小路に入っていたが、やっと出口を発見、元気百倍の心境／名響電気㈱　284.法人向けセミナー集客が0.1%から0.4%に／㈱ジー・エフ　285.手紙を出したところ、一番お願いしたいと思っていた会社から返事が／㈲ビッグバン　286.ＤＭの反応が上昇／ウッドランド　287.営業活動に自信が。お客様との交渉が楽しみながらできる／ベンチャープロデューサー　288.販促チラシへの反応が導入前と比べ25%アップ／インシュアランスネットサービス　289.前作のテクニックで契約2件を獲得／ファイナンシャルプランナー田畑弘宇　290.「どうすればいいのか」がわかった。電話の問い合わせが増えている／マハリシ総合研究所ＴＭ仙台センター　291.フル回転で頭を使い始めました／神鳥事務所　292.導入から半年、メーカー、役所、商店、団体等取引実績多数／㈲桜井陶器店　293.400枚のチラシで98人のお客様が来店。チラシ作成の費用は1312円／屋台ラーメン麺'S　294.ＤＭや新聞広告等の作り方に対するマインドが一変／日経ＢＰ社パソコン局販売部　295.将来の不安を解消できた／司牡丹酒造　296.ピンクの本を取引先に教えたおかげで、お客さんを紹介してもらった／㈲エプコット　297.新規ＤＭプレゼンテーション時にクライアントからの評価を得て、年間12本の契約をゲット！／㈲シーウィンド　298.初めてのＤＭ戦略にて売り上げ39%アップ！その後のレスポンス率も39%で、固定客激増／三宝物産㈱　299.見込客の獲得が300%以上、成約が150%以上アップ／㈱エイチ・アイ・エス商品開発室

300.単色刷りのチラシでも十分効果があるとわかった。印刷代が２割以上削減／㈱アスミックスーパー温泉桃山の湯　301.ＤＭだけで150社中３社より問い合わせが。その後90社に電話し10社とアポイント。２社より仕事の依頼あり／㈲ハヤセ　302.受注効率が大幅改善。顧客メリットもアップし、短期間で信頼が得られるようになった／㈱ティー・ワイ・シー　303.チラシ1000枚まいて２～３枚の反応だが、２～３％を目標に努力します／ソニー生命保険㈱代理店　304.ＤＭの結果、２ヵ月で患者総数が対前年比で10％アップした／医療法人社団徳冶会吉永歯科医院　305.教育講演会が満席。好評を得た／MAC真成塾　306.現在のＤＭレスポンスは6.4％／㈱やまや直販事業本部　307.資料送付時の挨拶文に活用。反応が２倍にアップ／ウエストコーポレーション　308.資料請求10倍以上売り上げ高は対前年比３倍に／㈱グリッド　309.客数が従来の1.5倍に／フルーツパーラーノトキ　310.ＤＭ50通の発送で５台成約／日高モータース　311.わずか２枚の書類で96件中41件から反応が／㈱ウインズ四国わくわく元気村　312.内覧会のチラシによる来客率が3.7倍にアップ／（資）安城建築　313.停滞している外販部門に活力が／ビバレッジ・ファーム　314.発想の転換ができ、バックボーンがギュっとしっかりした／ひたちメソッド　315.チラシの反響率が10倍に。売り上げも倍増／MKSライフサービス　316.春期講習用ＤＭを送り、50％が受講／サクセス学習塾　317.小スペース広告でも問い合わせ倍増。飛び込みで話を聞きに来る人も／武蔵野労務行政事務所　318.新しいＤＭで反応が22.8％／㈱サムタイム　319.イベント案内をしてもナシのつぶてだった会社から、１週間で15通の返信が／西谷経営技術研究所　320.営業マンのチームワークが強くなり、実績もアップ／みのや住宅設備機器　321.導入後、資料請求が倍になり、成約率は従来の40％が70％に／㈲プリシラ　322.フリーペーパーの広告で20件の反応。約半数が入学希望者だった／イスク英語学院　323.保険のセールスという提案から戦略の提案というように改善。反応アップ／㈲早稲田財務戦略研究所　324.資料請求、１年間でなんと5000社／㈱高千穂

325.数年前のチラシを見ると恥ずかしくなる。前期契約数すでに突破。今年は税金に悩まされそう／㈱セレマ南部第一代理店　326.感情マーケティングは営業のバイブル。引き合いが従来の約２倍に。成約率も約３倍に増加／佐藤ロストワックス技研㈱　327.０～３件ほどの反応が、３日間で10件に／㈱名成商事　328.念願の法人化を実現！新しく始めた印刷業でも、広告チラシは高い評価を得ています／㈲早稲田オープン　329.ＤＭの内容変更で休眠客の問い合わせが約９倍に。新聞広告で見込客約13倍に／㈱ネットワーク札幌　330.案内への反応率がなんと24倍に／㈱パルテック　331.ＤＭの反応率が高くなった／ダイユーゴルフ商会　332.導入後、新聞広告への反応が15%アップ。成約率も以前の５倍に／サン・アクアウエスト㈱　333.キャンペーン用のチラシを改善した結果、23名の入校者が／㈱多度津自動車学校　334.お得意先との打ち合わせに利用。チラシで新規来店者が増えたと喜ばれている／セントウェル印刷㈱

90 Days

もっと　あなたの会社が90日で儲かる！
感情マーケティングでお客をトリコにする

2000年 6 月29日　　初版発行
2024年11月 2 日　　29刷発行

著　者　神田　昌典
発行者　太田　宏
発行所　フォレスト出版株式会社
〒162-0824 東京都新宿区揚場町2－18 白宝ビル7F
電話　03-5229-5750（営業）
　　　03-5229-5757（編集）
URL　http://www.forestpub.co.jp

印刷・製本　中央精版印刷株式会社

ISBN978-4-89451-097-5　Printed in Japan